PROP4ESOF8
24,95
D0414253

Critiques humanistes et modernes
de la réforme pédagogique au Québec

Illustration de la couverture :

D'après l'affiche intitulée MACHINE-ÉCOLE, réalisée en 2005, et disponible sur demande. Concept : François Muller et Frédéric Teillard d'Eyry ; illustration : Philippe Mignon, Mission « innovation et expérimentation », Académie de Paris, site : http://www.ac-paris.fr, rubrique « innovation ».

Catalogage avant publication de Bibliothèque et Archives nationales du Québec et Bibliothèque et Archives Canada

Vedette principale au titre :

Par-delà l'école-machine : critiques humanistes et modernes de la réforme pédagogique au Québec

Comprend des réf. bibliogr.

ISBN 978-2-89544-164-9

1. Enseignement – Réforme – Québec (Province). 2. Programmes d'études – Changements – Québec (Province). 3. Éducation – Québec (Province). I. Chevrier, Marc. II. Titre : École-machine.

LB2822.84.C3P37 2010 371.2'070971 C2010-940194-8

Sous la direction de Marc Chevrier

Par-delà l'école-machine

Critiques humanistes et modernes de la réforme pédagogique au Québec

ÉDITIONS MULTIMONDES

ISBN: 978-2-89544-164-9
Dépôt légal – Bibliothèque et Archives nationales du Québec, 2010
Dépôt légal – Bibliothèque et Archives Canada, 2010

ÉDITIONS MULTIMONDES
930, rue Pouliot
Québec (Québec) G1V 3N9
CANADA
Téléphone: 418 651-3885
Téléphone sans frais: 1 800 840-3029
Télécopie: 418 651-6822
Télécopie sans frais: 1 888 303-5931
multimondes@multim.com
http://www.multim.com

DISTRIBUTION AU CANADA
PROLOGUE INC.
1650, boul. Lionel-Bertrand
Boisbriand (Québec) J7H 1N7
CANADA
Téléphone: 450 434-0306
Tél. sans frais: 1 800 363-2864
Télécopie: 450 434-2627
Téléc. sans frais: 1 800 361-8088
prologue@prologue.ca
http://www.prologue.ca

DISTRIBUTION EN BELGIQUE
La SDL Caravelle S.A.
Rue du Pré aux Oies, 303
Bruxelles
BELGIQUE
Téléphone: +32 2 240.93.00
Télécopie: +32 2 216.35.98
Carl.Neirynck@SDLCaravelle.com
http://www.SDLCaravelle.com/

DISTRIBUTION EN FRANCE
LIBRAIRIE DU QUÉBEC/DNM
30, rue Gay-Lussac
75005 Paris
FRANCE
Téléphone: 01 43 54 49 02
Télécopie: 01 43 54 39 15
direction@librairieduquebec.fr
http://www.librairieduquebec.fr

DISTRIBUTION EN SUISSE
SERVIDIS SA
chemin des chalets 7
CH-1279 Chavannes-de-Bogis
SUISSE
Téléphone: (021) 803 26 26
Télécopie: (021) 803 26 29
pgavillet@servidis.ch
http://www.servidis.ch

Les Éditions MultiMondes reconnaissent l'aide financière du gouvernement du Canada par l'entremise du Programme d'aide au développement de l'industrie de l'édition (PADIÉ) pour leurs activités d'édition. Elles remercient la Société de développement des entreprises culturelles du Québec (SODEC) pour son aide à l'édition et à la promotion. Elles remercient également le Conseil des Arts du Canada de l'aide accordée à son programme de publication.

Gouvernement du Québec – Programme de crédit d'impôt pour l'édition de livres– gestion SODEC.

Imprimé avec de l'encre végétale sur du papier Rolland Enviro 100, contenant 100% de fibres recyclées postconsommation, certifié Éco-Logo, procédé sans chlore et fabriqué à partir d'énergie biogaz.

IMPRIMÉ AU CANADA/PRINTED IN CANADA

Table des matières

Introduction

La querelle des progressistes et des modernes en éducation au Québec

Marc Chevrier

Le présent ouvrage rassemble plusieurs contributions signées par des intellectuels de tous horizons qui ont en commun le souci de défendre nos institutions scolaires contre une réforme pédagogique mal avisée; plusieurs se sont unis sous la bannière d'un collectif, le *Collectif pour une éducation de qualité*, fondé en janvier 2006[1]. Avant de présenter une à une ces contributions et le fil conducteur qui les sous-tend, il sera utile d'éclairer les lecteurs sur la querelle scolaire qui fait rage au Québec depuis quelques années.

Et enfin la polémique fut...

Le Québec n'en est certes pas à sa première réforme scolaire. En effet, les réformes se sont multipliées depuis la Révolution tranquille, depuis en fait la création du ministère de l'Éducation en 1964 par Paul-Gérin Lajoie. Mais la réforme scolaire annoncée en 1997 par la ministre de l'Éducation, Pauline Marois, dans l'énoncé *Prendre le virage du succès. L'école, tout un programme*, qui faisait suite à la commission des États généraux de l'éducation de 1995-1996, n'était pas qu'un simple ajout à un édifice en place, ni un simple ajustement des voiles du navire apporté pour mieux serrer le vent. Ce sont les fondements philosophiques et pédagogiques de l'école québécoise qui allaient progressivement être bouleversés

1. Le CEQ comptait à l'origine les membres suivants: Normand Baillargeon, Éric Bédard, Marc Chevrier, Jacques Dufresne, Mathieu-Robert Sauvé, Émile Robichaud et Marie-Éva de Villers.

par une réforme du curriculum, des méthodes d'apprentissage et d'évaluation, voire du vocabulaire de l'éducation. L'énoncé de 1997 avait au moins l'honnêteté de souligner dans ses conclusions l'ampleur des changements: «Les orientations et les décisions contenues dans l'énoncé de politique éducative vont modifier considérablement la culture scolaire au cours des prochaines années, c'est-à-dire la qualité des apprentissages, le niveau des exigences, l'organisation de l'enseignement.»

Il a toutefois fallu quelques années avant de saisir la portée réelle de cette Réforme entreprise officiellement pour assurer aux jeunes québécois la «maîtrise des savoirs essentiels», préparer les élèves «à l'exercice d'une citoyenneté responsable» et les sensibiliser aux défis «mondiaux de notre époque» par l'acquisition «des capacités de réfléchir et d'agir qui transcendent les modes ou les intérêts individuels». D'abord introduite dans les écoles primaires du Québec en 2000, cette réforme a été implantée ensuite dans les écoles secondaires. Les promoteurs de la «réforme», rebaptisée «Renouveau pédagogique», n'hésitent pas à la faire trôner côte à côte avec la modernisation du système éducatif québécois qui a suivi la commission Parent[2].

Or, peu de temps après son introduction, cette réforme pédagogique a suscité la controverse. La critique s'est d'abord exprimée dans un cercle restreint de connaisseurs. Trois ouvrages publiés entre 1999 et 2001 sonnaient l'alarme[3]: cette réforme, dont l'application avait peu à voir avec les recommandations de la commission des États généraux de 1995-1996, allait vers une impasse, dont les élèves auraient le plus à souffrir. Derrière cette réforme que les ministres de l'Éducation ont endossée après Pauline Marois, souvent sans en comprendre

2. Gabriel Gosselin, Claude Lessard (dir.), *Les deux principales réformes de l'éducation du Québec moderne*, Québec, Presses de l'Université Laval, 2007. Aux dires mêmes de Guy Rocher, la pédagogie de l'activité (de l'élève), dont s'est réclamée la réforme de 1997, «a présidé à tout le rapport de la Commission Parent et des réformes de programme et de pédagogie qu'elles proposent». Voir son introduction à l'ouvrage, p. 9.
3. Il s'agit de Gilles Gagné (dir.), *Main basse sur l'Éducation*, Montréal, Nota Bene, 1999; Louise Julien et Gérald Boutin, *L'obsession des compétences*, Montréal, Éditions nouvelles, 2000; Nicole Gagnon, *Le dérapage didactique*, Montréal, Stanké, 2001.

vraiment les tenants et aboutissants, agissaient, imperturbables, loin des projecteurs, des bureaucrates du ministère de l'Éducation, des syndicalistes et des professeurs de pédagogie, sans s'assurer d'avoir l'appui de la population et de fonder préalablement les changements de cap sur des études scientifiques crédibles et universellement reconnues.

Mais à mesure que progresse l'application de la réforme, que les enseignants en découvrent les absurdités conceptuelles et pratiques et que les études en révèlent les ratés, le débat s'est déplacé dans l'arène publique, relayé par les grands quotidiens, comme *La Presse* et le *Journal de Montréal*, qui curieusement ont remplacé l'opposition à l'Assemblée nationale dans la critique du ministère de l'Éducation, du Loisir et du Sport (MELS). Et de nouvelles publications ont confirmé les inquiétudes exprimées auparavant. Pensons à la très méthodique étude de Steve Bissonnette, Mario Richard et Clermont Gauthier qui ont montré comment les promoteurs de la réforme ont mis en avant un nouveau concept, celui de l'apprentissage, postulant la capacité de l'élève de construire son savoir par lui-même, sans détenir de preuves convaincantes de ce que ce «paradigme» améliorerait les résultats scolaires; qui plus est, les promoteurs de la réforme ont tu ou sous-estimé l'efficacité des méthodes dites directes de pédagogie, axée sur l'enseignement explicite du maître[4]. L'essai coup de poing *Le grand mensonge de l'éducation* de Luc Germain, Luc Papineau et Benoît Séguin, publié en 2005, ne donnait aucune raison d'espérer que la réforme rehausserait l'enseignement du français au Québec. D'autres ouvrages ou publications se sont fait les porte-voix de critiques venues d'horizons de plus en plus larges. À l'automne 2006, la revue *Argument* publiait un numéro spécial, vite épuisé, qui comparait le combat des promoteurs de la réforme à une nouvelle guerre des éteignoirs, en référence à l'opposition têtue de paysans québécois du milieu du XIXe à la levée d'un impôt pour l'instruction publique[5]. Plus récemment, l'ouvrage *Contre la réforme pédagogique*, dirigé par Robert Comeau et Josiane

4. Steve Bissonnette, Mario Richard et Clermont Gauthier, *Échec scolaire et réforme éducative*, Québec, Les Presses de l'Université Laval, 2005.
5. Voir «L'État des lieux en éducation au Québec. La nouvelle guerre des éteignoirs», *Argument*, vol. 9, nº 1, automne 2006-hiver 2007.

Lavallée, fédérait l'ensemble des principales forces opposées à la réforme depuis 2000. Un vrai débat, pour une fois, s'est engagé au Québec sur les finalités, les moyens et les méthodes de l'éducation que nous méritons. Et il ne semble pas près de s'éteindre.

L'une des raisons sans doute de la persistance de ce débat est que les enseignants, les premiers touchés par la réforme, sont sortis du mutisme dans lequel certains chefs syndicaux et le MELS auraient aimé les tenir. Regroupés au sein de la Fédération des syndicats de l'enseignement (FSQ), sept syndicats, dont l'Alliance des professeures et professeurs de Montréal, dénonçaient en mai 2005, lors d'une conférence publique, la réforme pédagogique et en demandaient l'arrêt. En réaction à l'appui que les dirigeants de la FSQ et de la Centrale des syndicats du Québec donnaient à la réforme pour entrer dans les bonnes grâces du gouvernement, neuf syndicats dissidents ont ainsi quitté la FSQ pour fonder la Fédération autonome de l'enseignement (FAE) qui, avec ses 27000 membres, regroupe environ le tiers du corps enseignant syndiqué au Québec. En novembre 2006, la FAE s'alliait avec le Collectif pour une éducation de qualité pour former la coalition Stoppons la réforme, qui a multiplié les actions et les prises de positions publiques contre la réforme. En février 2008, la coalition rendait public son *Manifeste pour une école démocratique, exigeante et centrée sur les connaissances*, lancement qui avait été précédé par l'organisation dans les rues du centre-ville de Montréal d'une manifestation contre la réforme qui a mobilisé quelque 3500 enseignants, chercheurs, universitaires et parents. La FAE est revenue à la charge dans sa volonté de mettre un frein à la réforme scolaire en publiant, le 23 octobre 2009, une plateforme pédagogique[6] qui appelait à une reprise en mains de l'école québécoise qui avait subi, selon le document, «un détournement pédagogique vieux de dix ans». Cette plateforme propose en substance de recentrer les enseignements sur l'acquisition de connaissances.

Ce débat pédagogique que nous avons au Québec depuis bientôt une décennie a fait apparaître dans l'espace public des termes jusque-là connus des seuls initiés. Le «socioconstructivisme», l'apprenant,

6. Fédération autonome de l'enseignement, *Une autre école est possible*, octobre 2009, en ligne: <http://www.lafae.qc.ca/utilisateur/documents/pageswww/plateforme/officielle.pdf>.

les compétences « transversales » ont émaillé le vocabulaire des journalistes et des commentateurs de la scène publique, ces termes suscitant, par leur étrangeté, curiosité, inquiétude et incompréhension. Ce débat a eu cela de bon d'intéresser le public à d'autres aspects de l'éducation au Québec que ceux qui sont ressassés dans certains débats usuels, comme la place des écoles privées ou l'accès à l'école anglaise. De plus, il a révélé des lignes de divergence profondes entre des visions de l'éducation très opposées, qui dépassent les lignes de fracture courantes des débats politiques au Québec. L'engagement très actif de la FAE dans la polémique montre aussi comment le syndicalisme au Québec, loin d'être toujours rivé à la défense des intérêts matériels de ses membres, peut entreprendre des combats au nom des idées et, dans ce cas-ci, au service de la liberté professionnelle des enseignants et d'une certaine idée de l'école.

Il est toutefois amusant d'observer que les défenseurs de la réforme pédagogique, peu prompts à s'expliquer publiquement sur leur projet éducatif, ont pu compter sur l'appui éditorial du journal *Le Devoir* qui ne s'est pas privé d'admonester les détracteurs de la réforme ou de minimiser la portée de leurs arguments. Il arrive même à ce sérieux journal, comme l'a montré Régine Pierre, de publier de fausses informations sur les enquêtes internationales comparant les performances des élèves québécois à celles d'élèves d'autres pays[7]. Voilà qui est étrange de la part d'un quotidien se targuant de dissiper les idées reçues sur l'éducation des Québécois.

Un débat francophone… et américain

Le Québec n'est pas la seule nation à avoir un tel débat pédagogique. En fait, en regardant par-delà ses frontières, on découvre un débat francophone, qui vient de ce que beaucoup des théories et des réformes en éducation passent d'une société francophone à l'autre, malgré les différences entre les structures et la culture scolaires de chacune. Le statut des pédagogues et des lieux de formation des maîtres varie aussi beaucoup d'une société à l'autre. Intégrées aux universités québécoises, les facultés de « sciences de l'éducation »,

7. Voir Régine Pierre, « Entre ignorance et incompétence : une réforme virtuelle », dans Robert Comeau et Josiane Lavallée (dir.), *Contre la réforme pédagogique*, Montréal, VLB éditeur, 2008, p. 244.

qui se sont substituées aux anciennes écoles normales, détiennent depuis 1994 un monopole sur la formation des maîtres[8]. Depuis lors, ces nouveaux maîtres doivent avoir en poche un baccalauréat en pédagogie d'une durée de quatre ans. Ce monopole des facultés de pédagogie a aussi suscité la critique, notamment de la part du CEQ, bien que les médias y aient peu porté attention, se contentant d'en observer les effets pervers.

En France, toutefois, la formation des maîtres est devenue l'enjeu d'une grande bataille sur le front scolaire. En juin 2008, le président Nicolas Sarkozy a annoncé une importante réforme de la formation des maîtres. Le système alors existant, qui recrute sur concours les futurs enseignants, exige d'eux trois années d'études universitaires (Bac +3); ceux-ci reçoivent une fois admis une formation de deux ans dans les instituts universitaires de formation des maîtres (IUFM). La réforme du président Sarkozy a porté à cinq ans (bac +5) la formation universitaire préalable requise des futurs maîtres, dont la formation sera complétée dans les universités et non plus dans les IUFM, dont l'avenir paraît ainsi compromis. En clair, les futurs enseignants devront justifier d'un diplôme d'un deuxième cycle universitaire, appelé en France «master» ou «mastère».

Par cette réforme, le président Sarkozy démantèle l'un des dispositifs centraux des réformes pédagogiques entreprises par les socialistes sous Mitterrand. En 1989, Lionel Jospin, alors ministre titulaire de l'Éducation nationale, fit adopter une loi de programmation pour l'éducation plaçant en réalité «l'élève au centre du système éducatif». Ce changement de termes faisait

8. Le MELS a appliqué en 1994 cette réforme monopolistique aux futurs maîtres du secondaire et, en 1995, à ceux du préscolaire et du primaire. Voir Micheline Després-Poirier, *Le système d'éducation du Québec*, 3e éd., Montréal, Gaëtan Morin, 1999, p. 282. Avant cette réforme, les diplômés universitaires des autres disciplines pouvaient accéder à la profession enseignante en complétant leur formation par un certificat d'enseignement d'un an. La réforme de 1994 leur ferme donc la porte de la profession, à moins qu'ils n'acceptent d'obtenir un baccalauréat en pédagogie. Pour Jean-Pierre Charland, cette réforme est une bonne chose, car ces titulaires de certificat en enseignement avaient généralement «échoué leur insertion dans une autre profession». Bel exemple de mépris pour les diplômés universitaires dont on présume que leur intérêt pour l'enseignement ne peut procéder que du dépit ou d'un échec professionnel. Voir *Histoire de l'éducation au Québec*, Saint-Laurent, Éditions du Renouveau pédagogique, 2005, p. 187.

écho au discours des pédagogues français qui, pressés d'en finir avec l'universalisme abstrait de l'école républicaine, avaient prôné un enseignement différencié, partant de la situation des élèves invités à construire eux-mêmes leur formation et leur insertion sociale. Il s'agit, on le constate, d'une doctrine pédagogique assez proche de celle qui a nourri la réforme québécoise de 1997. Ce renversement de perspective se complétait par la création de 17 IUFM qui remplacèrent les écoles normales et devinrent le lieu unique de formation d'un corps enseignant unifié, professeurs des écoles primaires, enseignants des collèges et des lycées[9]. La création des IUFM devait beaucoup à Philippe Meirieu, maître à penser de la pédagogie française qui n'a pas caché sa volonté de refonder la société en démontant la «machine-école» et qui a exercé au Québec une influence certaine sur ses pairs. «Prendre l'enfant comme il est pour l'aider à progresser. Le mettre dans des situations actives pour qu'il puisse reconstruire les savoirs[10]», telle était l'ambition sous-tendant la création des IUFM auxquels on reprocha, sitôt créés, de sacrifier la maîtrise disciplinaire des futurs maîtres à la pédagogie. Les protestations ayant fusé en France contre la réforme du président Sarkozy, sa mise en œuvre a été différée.

Un autre bel exemple de cette circulation des bonnes et mauvaises idées dans l'espace francophone est illustré par le fait que la réforme québécoise a trouvé son inspiration dans celle que le Canton de Genève avait lui-même mise en œuvre en 1994: les travaux des théoriciens de la réforme genevoise, et notamment ceux de Philippe Perrenoud, avaient pavé la voie aux approches pédagogiques québécoises. Toutefois, la réforme genevoise, elle aussi soutenue par les pédagogues et une bonne partie de la classe politique et des médias, a buté sur l'écueil d'une fronde populaire qui a usé en 2006 de l'arme référendaire pour rétablir les notes à l'école primaire. En Suisse, contrairement au droit constitutionnel existant au Québec, le peuple est souverain et ses décisions prises par référendum ont valeur de loi. Une autre votation populaire s'est tenue en mai 2009 sur deux projets concurrents de réforme du «cycle d'orientation»

9. Le secondaire comporte en France deux cycles ou degrés, un cycle de quatre ans au collège, suivi d'un cycle de trois ans au lycée.

10. Philippe Meirieu et Stéphanie LeBars, *La Machine-école*, Paris, Gallimard, 2001, p. 174-175.

secondaire. Le projet soutenu par les élites cantonales l'a emporté ; cependant, il intègre, dans plusieurs de ses composantes, des éléments réclamés par le mouvement d'opposition. En Belgique, la pédagogie par compétences s'est aussi insinuée, notamment depuis 1997, dans les programmes éducatifs de la Communauté française ; les « socles de compétences » – transversales et disciplinaires comme au Québec– semblent avoir confondu élèves et professeurs, au point que ces derniers ont déploré le manque de moyens pour appliquer une réforme difficile à décoder.

Or, comme l'a souligné Nathalie Bulle dans une magistrale étude sur le débat scolaire en France, la plupart des thèmes qui semblent agiter aujourd'hui les sociétés francophones sur les finalités et les méthodes de l'enseignement avaient été largement débattus aux États-Unis un demi-siècle plus tôt[11]. Au début du XXe siècle, au moment où l'école secondaire américaine devint peu à peu réalité de masse, plusieurs pédagogues, influencés par l'instrumentalisme de John Dewey, se mirent à faire le procès de l'école traditionnelle américaine, à laquelle ils reprochèrent de trop mettre l'accent sur le savoir et l'intellect, au mépris de la vie et de l'adaptation au milieu social auquel les élèves étaient prétendument mal préparés. Le débat s'est ainsi vite clivé entre les protagonistes d'une école centrée sur l'enfant et ceux qui défendent le primat des disciplines dans l'enseignement. L'idée que l'élève doit construire lui-même son savoir par sa propre activité, en interaction avec ses pairs, s'harmonisait parfaitement avec les idées en vogue aux États-Unis depuis le début du XXe siècle. Cependant, ainsi que le souligne Nathalie Bulle, beaucoup d'Américains sont revenus de ces illusions d'un autre siècle.

La querelle des progressistes et des modernes

L'un des difficultés du débat sur l'école, où qu'il se déroule, tient à ce que la discussion vire vite en procès d'intention. En fait, les arguments *ad hominem* y sont monnaie courante: plutôt que de s'arrêter à la substance des arguments, aux faits vérifiables et à la vraisemblance des affirmations, on préfère attaquer le protagoniste adverse de la discussion. Ainsi on dira que défendre les disciplines, le savoir

11. Nathalie Bulle, *L'école et son double*, Paris, Hermann éditeurs, 2009, p. 174.

à l'école, le rôle du maître dans la transmission, c'est épouser un discours conservateur, réactionnaire, autoritaire. On importe, sans nuance aucune, des catégories qui appartiennent au monde politique au domaine de l'éducation. De la même manière, les défenseurs du paradigme de l'apprentissage, des compétences auto-construites et du maître accompagnateur aiment à se décerner des titres politiques: démocrates, égalitaristes, progressistes, bref des épithètes qui placent aussitôt leurs porteurs dans le sens de l'histoire, du progrès, alors que leurs adversaires sont sommés d'avouer leurs viles ambitions.

Cependant, cette logomachie dans laquelle tombe souvent le débat scolaire tourne vite à vide et embrouille la compréhension des enjeux. Nathalie Bulle, dans l'étude évoquée plus haut, établit une distinction autrement plus éclairante pour cerner le clivage fondamental qui traverse la querelle pédagogique, soit celle entre les progressistes et les modernes. Ainsi, la «modernité» en éducation remonte au projet de l'Homme des Lumières du XVIIIe siècle qui consiste en la conviction que toute personne possède une nature intrinsèque, celle d'un être pensant doué de Raison, si bien que par l'instruction et le développement de la pensée, elle peut se libérer des fausses croyances, agir en connaissance de cause, épanouir ses facultés et ainsi devenir véritablement libre. «*Sapere aude*, écrit Kant, "Aie le courage de te servir de ton propre entendement", telle est la devise des Lumières[12]». Les hommes et les femmes des Lumières étaient héritiers d'une longue tradition scolaire occidentale qui avait formé la jeunesse à l'étude des classiques du fonds gréco-romain et de plusieurs disciplines du savoir. Le projet initial des modernes était de libérer l'Homme par la diffusion de l'instruction, jusqu'alors réservée à une petite minorité privilégiée. Il est donc «important, écrit Condorcet, d'avoir une forme d'instruction publique qui ne laissât échapper aucun talent sans être aperçu, et qui lui offrît alors tous les secours réservés jusqu'ici aux enfants des riches[13]».

Ce projet tarda à se mettre en branle; ce fut dans la première moitié du XIXe siècle que certains États implantèrent des écoles

12. Emmanuel Kant, *Idée d'une histoire universelle au point de vue cosmopolitique, Réponse à la question «Qu'est-ce que les Lumières?»*, Paris, Nathan, 1994, p. 67.
13. Condorcet, *Cinq mémoires sur l'instruction publique*, Paris, Flammarion, 1994, p. 68.

publiques pour le peuple. Il est remarquable que les Patriotes, qui épousaient le projet des Lumières, ont mis sur pied au Bas-Canada, dès 1829, un système d'éducation publique, soit quatre ans avant que la France en fît de même à l'initiative du ministre François Guizot et dix ans avant l'Angleterre[14]. Mais le gouverneur anglais mit son veto en 1836 à la continuation de ce système de 1376 écoles, qui s'effondra par après. Lecteur de Francis Bacon, Louis-Joseph Papineau estimait que l'instruction est une puissance qui devait être partagée avec toutes les classes de la société et qu'elle était la condition *sine qua non* pour atteindre le bonheur social et former des citoyens libres[15]. Dès 1829, Benjamin Viger, admiratif du zèle des Américains à s'instruire, avait vu dans l'instruction de tous un «principe de vie» formateur de citoyens vertueux: «Ce principe de vie, c'est l'éducation répandue dans la masse du peuple, qui seule peut lui faire connaître ses devoirs, mettre les individus qui le composent en état d'exercer leurs droits et de tirer parti de toutes ces sources de prospérité[16].»

Or, sous l'influence de diverses idées et doctrines issues du XIXe siècle, le rêve moderne de l'instruction pour tous par la formation à la pensée cessera d'être une évidence. L'héritage humaniste à la base du projet des Lumières paraîtra peu à peu dépassé, voire constituer un obstacle à l'avènement d'une société d'individus émancipés. Des doctrines, comme l'évolutionnisme en biologie, qui conçoit l'Homme comme l'aboutissement inachevé d'un processus génétique, ou le marxisme, pour lequel la conscience et la personnalité humaines sont déterminées par les rapports sociaux, ont relégué dans l'ombre le rôle de la raison dans la conduite humaine. Bien loin que l'Homme soit un être de raison, il est un être malléable, sans nature ou finalité propres, façonné par son milieu auquel il doit s'adapter. Le modèle d'évolution biologique a donné, souligne Bulle, aux nouvelles sciences de

14. Pierre Graveline, *Une histoire de l'éducation au Québec*, Montréal, Bibliothèque québécoise, 2007, p. 32-33.
15. Voir le discours «Santé à l'éducation», Louis-Joseph Papineau, *Un demi-siècle de combats*, choix de textes et présentation de Yvan Lamonde et Claude Larin, Montréal, Fides, 1998, p. 188-194.
16. «Un Monsieur Canadien», attribué à Benjamin Viger, *Courrier du Bas-Canada*, 23 octobre 1819.

l'homme, psychologie, anthropologie et sociologie, l'idée de processus, sur laquelle bon nombre de pédagogues ont fondé l'idée d'activité ou d'apprentissage. Reprenant de Rousseau l'idée que l'éducation doit d'abord former à la vie complète plutôt qu'à la vie de la raison, les pédagogues dits «progressistes» vont désormais professer que l'éducation doit se centrer sur l'élève et non plus sur la transmission des savoirs, qu'ils prennent en horreur, identifiée dès lors à l'ingurgitation forcée de matières livresques et figées qui restreignent la spontanéité et la créativité de l'enfant.

Selon Nathalie Bulle, la doctrine «progressiste» en éducation est en fait une interprétation particulière, et au vrai restrictive, du projet moderne. Sur le plan des finalités, cette doctrine se démarque par les éléments suivants: 1) L'école a pour fonction de libérer la nature en l'enfant et d'adapter ce dernier à la vie sociale, en vue de son bonheur. Il est clair que l'école, par cela même, succède à l'Église comme lieu principal de socialisation. 2) Les progressistes considèrent l'école comme une institution autoritaire qui arrache l'enfant à son milieu et aliène son être véritable. D'où le fait qu'ils assimilent l'éducation formelle – l'enseignement par un maître qui démontre son savoir et le fait répéter – à un processus politique. L'école leur apparaît plutôt un projet axé sur une idéologie explicite d'émancipation, quoique fondée sur la conformité des comportements aux rapports sociaux. Les progressistes se plaisent à dénoncer la fausse universalité des savoirs formels. La formation à la vie de la raison n'est plus une fin en soi, seulement un moyen, parmi d'autres, d'accorder les convictions et les dispositions de l'enfant aux exigences de la vie sociale. 3) Les progressistes délaissent la culture de l'esprit, trop attachée à la transmission des savoirs consacrés, au profit de l'inculcation de la culture commune, d'un bagage culturel où l'on retrouve pêle-mêle les habitudes comportementales et cognitives qui sont dominantes dans la société. Le savoir-faire et le savoir-être sont mis sur le même plan que les savoirs, accusés, en outre, d'avoir favorisé la reproduction des élites. À la culture commune est ainsi assignée une fonction socialisante de moulage des esprits. «L'enseignement général, écrit Bulle, n'ambitionne plus tant de servir les développements individuels que de contrôler les rapports interindividuels[17].»

17. N. Bulle, p. 61.

Sur le plan des méthodes et des concepts pédagogiques, les progressistes préconisent certaines idées douteuses: 1) L'opposition de l'activité du sujet à l'apprentissage des savoirs, présumé passif ou artificiel. Plusieurs des penseurs du progressisme pédagogique puisèrent dans le modèle biologique d'évolution une théorie du développement intellectuel de l'enfant, tel Jean Piaget qui se persuade que l'enfant possède en lui-même une capacité autonome de maturation intellectuelle indépendante du contenu des apprentissages. Cette façon de voir sépare la pensée de ses contenus, comme si la capacité à faire de la géométrie euclidienne chez un enfant précédait sa découverte du triangle et du cercle. 2) Influencées par les sciences humaines, les nouvelles pédagogies progressistes vont encourager des méthodes d'apprentissage par imprégnation intuitive et vouloir décloisonner ou déconstruire les disciplines. 3) Les progressistes dissolvent les savoirs en habilités intellectuelles qui répondent aux exigences de la socialisation. Toutes les tâches sociales sont égales en dignité dans le cursus scolaire. 4) Enfin, le résultat paradoxal de la pédagogie progressiste est que toute à la dénonciation des inégalités sociales que l'école a pour fonction d'enrayer par la célébration de l'activité de l'enfant apprenant, elle légitime pour autant ces inégalités, du moment qu'elles sont le produit normal d'une scolarisation conforme aux attentes du programme pédagogique. «Le réformateur progressiste, écrit Bulle, ne veut définir aucune fin au regard de laquelle des inégalités de qualités individuelles pourraient se déterminer. Les inégalités apparaissent artificielles, dans un environnement scolaire coupé des réalités de la vie. Elles sont acceptées comme sanction d'une sélection «naturelle» dans un environnement scolaire ouvert sur la société réelle[18].»

L'école-machine québécoise

Ainsi, les pédagogues progressistes se firent un peu partout en Occident, en France, au Québec, aux États-Unis, les promoteurs d'une modernisation, d'une «démocratisation» du système scolaire qui s'est néanmoins retournée contre le projet initial des Lumières. Pour reprendre le mot de Gilles Gagné, c'est la modernisation qui s'est

18. *Ibid.*, p. 88-89.

dressée contre la modernité[19]. Décrivant les réformes éducatives effectuées depuis 1960 au Québec, il évoque le remplacement d'une «institution scolaire qui avait en vue le maître de l'État (le citoyen) par un système qui avait en vue le serviteur du besoin (le travailleur)[20]». S'agissant de la France, Jean-Pierre Le Goff a décrit la modernisation aveugle qui s'est emparée des entreprises et de l'école, toutes soumises au même langage célébrant des individus autonomes. Le libéralisme économique et la révolution culturelle se sont ainsi conjugués pour promouvoir «l'utopie d'une société qui pourrait devenir transparente à elle-même, où tout se résoudrait par l'argumentation rationnelle, la négociation et un contrat strictement égalitaire et sans reste, dans lequel tout le monde serait gagnant[21]».

Il nous a semblé, à nous membres du Collectif pour une éducation de qualité, qu'on ne pouvait plus laisser cette déferlante pseudo-modernisatrice faire ses ravages dans nos écoles sans protester, ni sans tenir un vrai débat. Il nous est aussi apparu que certaines vérités, que les avocats du renouveau pédagogique tiennent pour obsolètes, méritaient d'être rappelées. Nous les avons résumées dans le mémoire déposé en octobre 2007 à la commission Bouchard-Taylor sur les accommodements raisonnables:

> Le CEQ considère que la fin première de l'éducation est la transmission des connaissances, en vue d'aider chacun à s'accomplir en tant qu'être humain, à comprendre le monde dans lequel il s'insère et à développer sa pensée critique. Pour ce faire, la société québécoise a le devoir de transmettre le patrimoine culturel de l'humanité et du pays à tous ses citoyens, peu importe leur origine. L'épanouissement culturel, l'estime de soi, [...] passent à notre avis par l'acquisition d'une culture. C'est par la voie des grandes disciplines, par exemple, la philosophie, la littérature, les mathématiques et l'histoire, que plusieurs générations d'élèves ont eu accès à ces trésors du savoir et de la sagesse humains et été ainsi formées à la pensée critique et à la liberté. La transmission de ces savoirs ne devrait pas échoir à de simples passeurs de notions vaguement acquises ou à des animateurs de classe, si bien intentionnés soient-ils. Elle devrait appartenir à des «maîtres» compétents, qui possèdent la discipline qu'il leur incombe d'enseigner et qui, par leur

19. Gilles Gagné, «L'école au Québec: un système qui paralyse des institutions», dans G. Gagné (dir.), *op. cit.*, p. 11-17.
20. *Ibid.*, p. 13.
21. Jean-Pierre Le Goff, *La barbarie douce*, Paris, La Découverte, 1999, p. 113.

> expérience acquise en classe, savent éveiller de jeunes intelligences à des réalités qui dépassent leur milieu et leur vécu[22].

Les quelques changements apportés à la réforme scolaire annoncés par les ministres Fournier et Courchesne nous apparaissent encore trop peu substantiels pour conclure que l'école québécoise est redevenue celle de la transmission des connaissances par des maîtres connaissants. Il est donc trop tôt pour baisser la garde et retourner à nos jardins. Et même, par extraordinaire, si le MELS annonçait en grande pompe qu'il mettait au rancart sa réforme pédagogique, les dérapages, les délires et le cafouillage auxquels cette réforme a donné lieu sont d'une telle ampleur et d'une telle gravité, qu'on ne peut faire l'économie d'une réflexion sur ce qui s'est passé et sur les leçons qu'il convient d'en tirer. C'est pourquoi plusieurs des membres du CEQ, auxquels s'est rajoutée Rachel Bégin qui a publié chez Liber un livre remarqué sur l'enseignement des sciences au Québec, ont vu la nécessité de faire ce livre qui défend une perspective humaniste et moderne en éducation.

Un des aspects centraux que l'ouvrage entend éclairer est la dimension machiniste, dérivée d'une conception technicienne de l'enseignement, qui sous-tend la réforme pédagogique en cours. Les réformateurs progressistes se sont souvent plu à dépeindre l'école comme une institution disciplinaire dévorée par la machine productive de nos sociétés capitalistes. À entendre ces annonciateurs d'un monde nouveau, la pédagogie active ouvrirait toutes grandes les portes de l'émancipation. Il nous semble, au contraire, que cette pédagogie enferme l'école dans un rôle réducteur qui la détourne de ses vraies fins, sur la base d'un pari risqué sur des méthodes aux effets, au mieux incertains, au pire désavantageux pour les enfants des classes démunies. À vrai dire, c'est l'école-machine qui

---

22. Collectif pour une éducation de qualité, mémoire « Transmettre adéquatement un patrimoine culturel et historique », présenté dans le cadre des audiences de la Commission de consultation sur les pratiques d'accommodements reliés aux différences culturelles, Montréal, 19 octobre, reproduit dans Robert Comeau et Josiane Lavallée (dir.), *Contre la réforme pédagogique, op. cit.*, p. 267-285. Ont souscrit à ces lignes Normand Baillargeon, Éric Bédard, Lucille Beaudry, Christian Bouchard, François Charbonneau, Marc Chevrier, Jacques Dufresne, Anne-Catherine Lafaille, Émile Robichaud, Mathieu-Robert Sauvé.

se profile derrière le projet de la pédagogie socioconstructiviste que nous avons voulu dépeindre.

Cette école-machine a plusieurs dimensions. La première, c'est la machine administrative, la coalition d'intérêts corporatistes qui s'est emparée des suites de la commission des États généraux de l'éducation pour imposer son agenda à l'État et, à travers lui, à toutes les écoles québécoises. Nous reviendrons relativement peu sur cet aspect de la question, car d'autres en ont déjà traité. Dès 1999, Gilles Gagné avait entrevu un système scolaire dont le ministère de l'Éducation «est devenu un intervenant parmi d'autres dans sa propre machine[23]» et qui parasite les institutions scolaires qu'il est censé servir. Sur un ton humoristique, Éric Bédard a parlé d'une nomenklatura pédagogique qui s'est infiltrée dans les instances décisionnelles et qui forme la «triade» du monde de l'éducation. Pétris de discours révolutionnaires et de personnalisme, ces programmateurs noyautent le Conseil supérieur de l'éducation, les facultés universitaires de pédagogie et les syndicats d'enseignants[24]. Moi-même je me suis amusé à croquer le «complexe pédagogo-ministériel[25]».

Une autre dimension sur laquelle nous insistons dans cet ouvrage touche au renouveau pédagogique en tant que machine idéologique. Il apparaît en effet de plus en plus clair, à quiconque d'entre nous qui a ferraillé avec les défenseurs du renouveau pédagogique, que nous avons affaire à une véritable idéologie, et que c'est à ce niveau qu'il est utile de porter notre attention critique. Que la réforme pédagogique ait été implantée avec les apparences de la rigueur scientifique et conçue par des experts en pédagogie, qui ont remplacé nos bons pères d'antan, ne doit pas nous détourner de la vue de l'arrière-scène idéologique où cette réforme s'est produite. Et c'est parce qu'il s'agit avant tout d'une idéologie, qui cherche à avoir réponse à tout, souvent au mépris du réel, sommant enseignants, parents et citoyens de croire dans ses

23. G. Gagné, *op. cit.*, p. 10.
24. Éric Bédard, «Note au "futur" ministre de l'Éducation», dans R. Comeau et J. Lavallée (dir.), *Contre la réforme pédagogique, op. cit.*, p. 113-126.
25. Marc Chevrier, «Le complexe pédagogo-ministériel», *Argument*, vol. 9, nº 1, automne 2006, hiver 2007, p. 21-35.

bienfaits au nom de certaines valeurs censées être les nôtres que le débat a pris une coloration si politique bien éloignée de l'étude scrupuleuse de ce qui se passe dans les classes québécoises.

Cette école-machine qui place, on le sait, les compétences au-dessus des connaissances, met en péril plusieurs apprentissages jugés essentiels. De nombreuses inquiétudes se sont exprimées sur le sort réservé à l'enseignement de la langue, de l'histoire nationale; le nouveau cours d'éthique et de religion a prêté aussi flanc à la critique, notamment en raison de la pauvreté des connaissances qu'il propose[26]. Cependant, on a bien peu parlé des sciences dans ce débat. On pourrait croire que le nouveau pédagogique, féru de «nouvelles technologies de l'information et de la communication» (NTIC), réserverait aux sciences une place privilégiée. Or, nous semble-t-il, les sciences, pas moins que les autres savoirs, nécessitent un enseignement explicite fondé sur l'acquisition de connaissances dont l'enseignant démonte, un à un, les enchaînements formels. Tout indique, si l'on se fie aux études internationales comparant la performance scolaire des étudiants québécois à celles d'étudiants d'autres pays, qu'ils obtenaient d'excellents résultats en sciences et en mathématiques avant l'introduction de la réforme pédagogique et que les méthodes dites «actives» montrent des résultats peu reluisants[27].

Enfin, l'école où l'élève-apprenant construit lui-même ses connaissances conduit, non à la liberté, mais à un contrôle social plus perfectionné, obsédé par l'intégration des enfants bien formatés au milieu. Sitôt admis qu'il n'existe aucune nature de l'Homme en vertu de laquelle certains savoirs devraient être dispensés, ni aucune fin universelle vers laquelle devrait s'élever l'enfant, c'est finalement le système éducatif, en tant que système, qui impose ses fins, puisées dans l'économie des rapports sociaux. Dès 1972, Bernard Charbonneau, avec Jacques Ellul l'un des grands critiques du système

26. Sur ce point, voir l'étude de Joëlle Guérin, *Le cours Éthique et culture religieuse: transmission des connaissances ou endoctrinement?*, Montréal, Institut de recherche sur le Québec, novembre 2009, 29 p. En ligne: <http://www.irq.qc.ca>.

27. Voir S. Bissonnette, M. Richard et C. Gauthier, *Échec scolaire et réforme éducative*, *op. cit.*

technicien, avait entrevu ce à quoi se résoudrait l'utopie pédagogique de l'apprentissage actif :

> De l'école nouvelle – qui est en réalité aussi vieille que la liberté – subsistera la part non utopique – des recettes pour manipuler les gosses et des techniques audiovisuelles. Peut-être qu'un jour l'utilisation de celles-ci par un enseignement programmé permettra de donner aux masses une instruction élémentaire par l'image, qui les maintiendrait dans l'état d'innocence et de communion où les tenait l'ignorance. [...] De l'utopie, traditionnelle ou révolutionnaire, de la liberté ne subsisterait plus qu'une technique plus efficace d'intégration[28].

L'ouvrage s'ouvre sur un texte de Normand Baillargeon qui tire les leçons du gâchis que représente pour lui – et pour nous – la réforme pédagogique. Normand Baillargeon s'était déjà exprimé sur les fondements philosophiques et scientifiques de la réforme, qui reposaient sur de troublantes erreurs[29]. Dans son texte, l'auteur préfère brosser, à notre avantage, un bilan général de l'entreprise, en soulignant les diverses leçons à tirer de ce méli-mélo sur les plans scientifique et épistémologique, politique, idéologique et professionnel. Ce texte d'une grande clarté et probité distingue des dimensions du problème souvent confondues. Il peut paraître surprenant qu'il faille rappeler que toute réforme sociale, quelle qu'en soit l'envergure, doit d'abord reposer sur des données et des vérifications scientifiques solides qui en étayent la plausibilité, principe qui n'a pas été malheureusement observé dans le cas de la réforme pédagogique québécoise. Ce qui fait penser à Normand Baillargeon qu'il conviendrait d'adopter un principe de « précaution pédagogique » pour nous garder des improvisations. Les leçons politiques de cette malheureuse aventure sont multiples. De toute évidence, toute autre réforme devra favoriser la transparence démocratique, réaffirmer le statut de l'école, renforcer l'imputabilité des réformateurs et reconnaître la liberté d'expression des dissidents, lesquels, dans le joli monde des facultés de pédagogie, subissent

28. Bernard Charbonneau, *Prométhée réenchaîné*, Paris, Éditions de la Table ronde, 2001, p. 140-141.
29. Normand Baillargeon, « La réforme québécoise de l'éducation : une faillite philosophique », *Possibles*, vol. 30, nº 1-2, hiver-printemps 2006, p. 139-184. Plus récemment, *Contre la réforme*, Montréal, Presses de l'Université de Montréal, 2009.

mille avanies de leurs collègues fidèles à l'orthodoxie. Sur le plan idéologique, Normand Baillargeon établit une distinction entre progressisme politique et progressisme pédagogique. Il rejoint en cela les analyses de Nathalie Bulle. La fâcheuse confusion entre les deux fait passer pour réactionnaires des outils pédagogiques indispensables à la formation des élèves. Lecteur de Hannah Arendt, l'auteur écrit: «[l]'école, institution vouée à la conservation du passé et à l'initiation au monde d'esprits neufs [...], se doit d'être pédagogiquement conservatrice, faute de quoi elle court le risque d'être politiquement réactionnaire.» Finalement, il importe, pour l'avenir, de renforcer la formation des maîtres, détournés des disciplines au profit de l'*educando*, ainsi que de respecter l'autonomie des enseignants, sans nourrir d'ambitions démesurées ni disproportionnés aux moyens.

Suivent deux textes sur l'enseignement des sciences malmené par la réforme.

Mathieu-Robert Sauvé rappelle tout d'abord le piètre état dans lequel se trouvait l'enseignement des sciences avant l'introduction de la réforme au primaire en 2000. Or, les études scientifiques montrent l'importance d'exposer très tôt, dès le primaire, les enfants aux rudiments de la pensée scientifique. L'ancien programme remplacé en 2000 prévoyait faire des sciences de la nature une matière obligatoire dès la première année du primaire. Le nouveau programme est moins précis et exigeant à ce chapitre, au risque de réduire le nombre d'heures réservées à ces matières. Mathieu-Robert Sauvé souligne aussi la piètre formation scientifique des enseignants et leur faible intérêt pour les sciences. Beaucoup sont des enseignantes traumatisées par leur apprentissage passé des sciences, qui ont opté au cégep pour le programme des sciences humaines sans mathématiques. Cependant, si les sciences sont négligées dans ses écoles, le Québec a conservé par bonheur une saine culture scientifique parascolaire, par le loisir scientifique entre autres, qui doit beaucoup au frère Marie-Victorin. Devant le foisonnement d'organismes et d'initiatives locales consacrés à la promotion des sciences, on serait tenté de croire que le MELS leur a abandonné une partie de ses responsabilités en ce domaine.

Au secondaire, toutefois, le Renouveau pédagogique affirme l'importance des sciences et de la technologie mais sans faire en sorte que les enseignants, possédant une formation scientifique largement déficiente et trop peu nombreux, puissent relever les nouveaux défis. Selon Mathieu-Robert Sauvé, plusieurs craignent que les excellents résultats que les étudiants québécois ont obtenus en sciences dans les études internationales avant l'introduction de la réforme pédagogique ne soient ainsi mis en danger.

Le second texte examine les fondements épistémologiques de la réforme, à partir d'une analyse des programmes d'études en sciences du MELS. S'appuyant sur les travaux de l'épistémologue des sciences mondialement connu, Mario Bunge, Rachel Bégin pose un jugement précis, nuancé, mais néanmoins dirimant sur les supposés de ces programmes. L'auteure constate en premier lieu un écart entre les vœux exprimés par la population et la réponse pédagogique du MELS. Énoncées notamment lors de la commission des États généraux de l'Éducation, les attentes de la population sont claires: renforcer l'enseignement des matières, dont les disciplines scientifiques. Au lieu de s'y employer, le MELS a érigé les compétences, plutôt que les connaissances disciplinaires, en socle de ses programmes d'études, et décloisonné les matières pour promouvoir la pédagogie par projets. Ces programmes inversent la séquence logique des apprentissages: on suppose que l'enfant se forme à travers des problématiques (domaines généraux de formation), qu'il développe à leur contact des compétences transversales qui lui permettront d'accéder aux domaines d'apprentissage, où sont reléguées les «compétences disciplinaires.»

Rachel Bégin voit trois inconvénients à cette façon de faire: 1) la superficialité et l'inégalité des apprentissages; 2) des méthodes gaspilleuses de temps; 3) un apprentissage décousu. De plus, les concepts de ces programmes donnent prise à trop de subjectivité, au péril du relativisme, et condamnent l'élève au bricolage. Par ailleurs, l'interdisciplinarité, prétexte au décloisonnement des disciplines, est inatteignable pour les enseignants. Le décloisonnement des disciplines fait fi de la cohérence, de la rigueur et de la logique propres à chacune d'elles. Cela transparaît dans les programmes de Science et technologie qui reposent sur une structure d'enseignement très floue, qui bouleverse les bases du savoir scientifique sans justification de ces changements radicaux. « La culture scientifique, écrit l'auteure, se résumerait à une sélection éclectique mais aléatoire de sujets destinés à retenir l'attention des jeunes. » Avec une réforme aussi peu applicable et aux fondations si friables, Rachel Bégin doute que les élèves acquièrent une bonne idée de ce que sont les sciences et la technologie.

Dans un texte au titre évocateur « L'estime déçoit », François Charbonneau aborde la texture idéologique de la réforme pédagogique à travers la conception de l'estime de soi des élèves qu'elle véhicule. La notion d'estime de soi, popularisée par les États-Unis depuis les années 1960, a fait ainsi son chemin au Québec, aidée par les sombres images que la Révolution tranquille avait colportées de l'école traditionnelle québécoise tombée sous la coupe de clercs élitistes. Mus par une logique égalitariste, les promoteurs de cette démocratisation ont voulu réduire la distance entre l'enseignant et l'élève et donner à ce dernier le droit égal de réussir. Mais la réforme pédagogique va beaucoup plus loin. Cette réforme suppose que la réussite scolaire est fonction du rehaussement de l'estime de soi des élèves par l'emploi de méthodes d'enseignement et d'évaluation visant à ménager l'estime de ces derniers, comme la disparition des bulletins chiffrés, du redoublement et des classes spéciales pour enfants en difficulté d'apprentissage. Peu sensible aux effets de ces mesures, le MELS a témoigné d'un parti pris idéologique « qui favorise l'intégration au-delà de toute autre forme de considérations. » Par ailleurs, ce postulat repose sur des assises bien fragiles. Le lien entre estime de soi et réussite n'a pas été nettement prouvé. Le concept d'estime de soi, très flou, se prête mal aux comparaisons probantes. Mais pire encore, la réforme pèche là où elle met le plus d'efforts : à force de diminuer les exigences, elle « renvoie aux élèves une image dépréciée d'eux-mêmes et du système scolaire lui-même. » Si estimer quelqu'un, c'est exiger beaucoup de lui, la réforme estime alors bien peu ses élèves, conclut François Charbonneau.

Pour ma part, j'ai tenté de saisir la grande séduction qu'a été le discours de la nouvelle pédagogie. Car c'est au niveau du credo idéologique, bien plus qu'à celui des preuves, que s'est jouée l'adhésion au programme du « apprendre à apprendre ». La question est alors :

qu'est-ce qui dans ce discours est si attrayant qu'on voudrait y croire? Voici trois éléments de réponse. 1) L'idée que l'école doit fonctionner à l'image d'une mini-démocratie. Cette idée a conquis les penseurs de la réforme, désireux de promouvoir un monde ouvert, moral, pluraliste, égalitaire. Or, cette idée ne tient pas la route, la démocratie supposant que gouvernés et gouvernants soient interchangeables, ce qui est impensable dans le contexte scolaire. Mais l'idée séduit, car la démocratie est assimilée à une vision morale de l'existence où les différences sont ou bien abolies ou reconnues dans leur pleine égalité. 2) Une conception radicale de l'autonomie, qui efface tout ce qui dénote minorité et passivité chez l'enfant. Le paradoxe de l'éducation moderne, c'est qu'elle mène des êtres dépendants à l'autonomie, par des méthodes maintenant cette dépendance. La pédagogie progressiste contourne ce paradoxe en s'imaginant un élève déjà adulte, auteur de son savoir; cela confine à l'autisme, comme si l'enfant parlait un langage privé. Ensuite, par le concept de compétence, cette pédagogie camoufle l'aspect hiérarchique et la contrainte inhérente au contrôle des connaissances acquises. De plus, l'enfant subit une subtile manipulation, qui tâche de lui faire intérioriser des notions qu'il croit avoir découvertes lui-même, sans avoir de repère clair de vérité. 3) Enfin, le discours pédagogique entretient une méfiance à l'égard des médiations et une haine de la culture seconde, qui sont des tendances de la culture contemporaine. En finir avec les pasteurs et la distance symbolique avec le réel, c'est là une des impatiences de notre époque, que certains philosophes ont portée aux nues. Envoûtée par ces beaux mirages, une bonne partie de notre élite instruite a décidé de mettre les écoles au service de la *désinstruction.*

Dans son texte «Les origines personnalistes du renouveau pédagogique», l'historien Éric Bédard met au jour un aspect surprenant de la genèse intellectuelle du renouveau pédagogique au Québec. On pourrait croire qu'il est l'un des avatars naturels du progressisme laïc apparu dans le sillage de la Révolution tranquille. Or, souligne Éric Bédard, qui reprend et raffine les thèses de plusieurs sociologues sur les origines catholiques de cette Révolution, la pédagogie progressiste doit beaucoup aux écrits et au prosélytisme d'un jésuite, issu de l'Église des œuvres, soit Pierre Angers, auteur notamment d'un célèbre avis (*L'activité éducative*) remis au Conseil supérieur de l'éducation, dont Angers a été membre de 1964 à 1972. Influencé dans sa jeunesse par le personnalisme de Jacques Maritain et d'Emmanuel Mounier et par d'autres penseurs chrétiens critiques du catholicisme traditionnel, Pierre Angers va transposer à la pédagogie la critique qu'il a lui-même développée du catholicisme québécois engoncé dans les rituels et le conformisme au détriment de toute foi authentique. De manière étonnante, Angers a combiné une pédagogie centrée sur l'élève, promu au rang de « s'éduquant » (dont il a inventé le terme en 1971) à l'adhésion sans réserve à l'utopie d'une civilisation technique, qui rend caducs le vieil humanisme classique et les savoirs disciplinaires, de même que les hiérarchies, voire l'idée même de transmission. Pour Angers, l'acquisition de toute culture authentique sert l'épanouissement intérieur de l'enfant et vaut par son efficacité et son rendement. C'en est ainsi fini de l'ancienne culture générale et des maîtres, place aux pédagogues pratiquant les méthodes actives et l'accompagnement, puisque la civilisation technique exige des apprenants qu'ils apprennent à apprendre, au lieu d'acquérir des connaissances périssables dont l'école n'a plus le monopole à l'ère de l'information. Or, souligne Éric Bédard, Angers lie la démocratisation et la réussite scolaires à l'innovation pédagogique, sans chercher à rendre opérationnelle sa nouvelle pédagogie et sans étayer ce lien autrement que par des arguments d'autorité. Cependant, cette doctrine a vite séduit les autorités scolaires, dispensées de s'attaquer aux vrais problèmes qui affligeaient les classes québécoises, notamment par la réduction du ratio professeur-élèves, puisque l'investissement dans l'innovation pédagogique semblait avoir réponse à tout.

Au final, Jacques Dufresne développe une réflexion sur l'école-machine québécoise à partir du nouveau cours d'éthique et de culture religieuse (ECR). L'auteur essaie de mettre au clair les conséquences du passage d'un humanisme centré sur Dieu à un humanisme centré sur l'Homme. Selon lui, ce passage s'est réalisé au Québec en coupant plusieurs des ponts par lesquels l'Homme était relié au transcendant, soit la connaissance globale, le monde réel, les grandes figures, les chefs-d'œuvre artistiques et la nature. L'enseignement par objectifs, par son approche réductionniste de la connaissance et de l'enfant, a discrédité les formes d'évaluation tournées vers le regard d'ensemble. Le relativisme s'est introduit dans la pédagogie, au point que l'on mette en doute les distinctions entre le vrai et le faux, le laid et le beau, etc. L'enseignement axé sur les compétences et les projets a abandonné l'étude des grandes figures inspirantes du passé, comme des grandes œuvres, au nom d'un relativisme niveleur. Enfin, l'école bétonnée a coupé les élèves du contact avec la nature. Ces ruptures ne sont pas propres au Québec, seulement, selon Jacques Dufresne, les concepteurs du cours Éthique et culture religieuse (ECR) ont voulu aller plus loin encore, en ramenant l'éthique et toute interrogation sur le surnaturel à une simple question de vivre ensemble pluraliste, sans proposer de connaissances solides aux élèves. Puisque l'Homme ne peut être augmenté de l'intérieur, c'est de l'extérieur qu'il le sera, par la technique qu'il croit choisir librement. Cette conception de *l'homme augmenté* débouche sur un type de contrôle social où l'Homme, loin de trouver en lui les ressorts de sa vie, s'appuie sans cesse plus sur des adjuvants techniques pour réguler ses humeurs et son potentiel. L'Homme est ainsi vu comme une machine à façonner par des augmentations, ce à quoi conduit la doctrine sous-jacente au cours ECR, qui brandit certes de beaux idéaux, en fait happés par le behaviorisme déguisé d'une pédagogie totalitaire.

Les textes réunis dans ce livre ne prétendent pas exposer une seule ligne de pensée, loin s'en faut, ni procéder des mêmes horizons politiques ou philosophiques. Cependant, malgré les nombreuses différences de vues entre les auteurs de ces lignes, nous croyions avoir, sur les fins et les méthodes de l'éducation, une communauté de pensée suffisante pour écrire ce livre et le soumettre à l'avis de tous ceux et celles que ni encore le débat rationnel ni la foi en l'avenir n'ont convaincus de se laisser embrigader par les soi-disant chantres du progrès scolaire.

Les leçons d'un gâchis

Normand Baillargeon

Qu'on l'appelle «réforme de l'éducation» ou «renouveau pédagogique», une opération de profonde transformation de l'éducation est menée au Québec depuis 10 ans – depuis le 8 juin 1999, plus précisément, ce qui est la date officielle de son lancement.

Cette opération, qui a mobilisé des ressources financières et humaines considérables, a suscité de vives controverses dans l'opinion publique et elle a profondément divisé le milieu de l'éducation. Issue de la vaste consultation qui s'était tenue au milieu des années 1990 sous le nom d'États généraux de l'éducation, la réforme de l'éducation en a modifié de manière substantielle les recommandations, qui allaient dans le sens d'un renforcement du curriculum, au profit, notamment, d'une transformation de la pédagogie mettant l'accent sur des projets plutôt que sur l'instruction directe; sur le développement de compétences, plutôt que sur la «simple» acquisition de connaissances; sur diverses formes d'interdisciplinarité et de développement de compétences transversales plutôt que sur la «simple» maîtrise de disciplines. S'y ajoutait encore, de manière plus ou moins explicite, ce qu'on appellerait volontiers une philosophie de l'école comme institution aux accents résolument progressistes, promettant une plus grande égalité des chances et réussite pour tous, le recul du décrochage scolaire, tout cela étant conjugué à une vision très critique du savoir, de l'éducation et de ses aspects plus traditionnels, le tout trouvant son expression dans un constructivisme qui sera souvent présenté comme étant «radical».[1]

Il n'est plus excessif de le soutenir: l'opération n'a pas tenu les promesses que ses enthousiastes promoteurs faisaient miroiter. L'heure est désormais, d'une part, aux bilans précis et rigoureux des effets de la réforme, qui doivent absolument être établis, d'autre part, au choix que nous devons faire entre les deux options qui s'ouvrent aujourd'hui à nous, à savoir soit réformer la réforme en lui apportant des correctifs (dont on peut sans risque affirmer qu'ils seront importants), soit y mettre un terme.

Je n'ai jamais caché, depuis les tout débuts, mon opposition à la réforme et j'ai à plusieurs reprises donné les raisons qui m'ont conduit à adopter cette position d'opposition à ce qui, dans mon milieu (celui des sciences de l'éducation à l'université), faisait à peu de choses près l'unanimité[2]. Je n'y reviendrai pas dans le texte qui suit. Je souhaite plutôt adopter un point de vue prospectif et, je l'espère, constructif, en identifiant les principales leçons qu'à mon sens nous devrions collectivement tirer de la douloureuse expérience des dix dernières années. Ces leçons devraient inspirer les réformateurs à venir.

J'en propose douze, commodément regroupées en quatre catégories dont je suis bien conscient qu'elles ne sont pas complètement étanches.

---

1. La réforme de l'éducation a été une vaste et complexe opération et n'est évidemment pas réductible aux quelques mots que j'en dis ici. On en saura plus en consultant le site du ministère de l'Éducation, du Loisir et du Sport [http://www.mels.gouv.qc.ca/], qui regorge de documents sur la question, le plus souvent apologétiques. Les voix discordantes et critiques ont été nombreuses. On les entendra notamment sur le site de la Fédération autonome de l'enseignement [http://www.lafae.qc.ca/] et en lisant le collectif *Contre la réforme pédagogique*, dirigé par Robert Comeau et Josiane Lavallée, Partis pris actuels, VLB, Montréal, 2008; dans le dossier que consacrait à la réforme la revue *Argument* (vol. 9, nº 1, automne 2006-hiver 2007); et dans celui que lui consacrait la revue *Possibles* (vol. 30, nºs 1 et 2, 2006).
2. Mes principaux écrits sur la question ont été réunis dans: *Contre la réforme. La dérive idéologique du système d'éducation québécois*, Presses de l'Université de Montréal, Montréal, 2009.

Des leçons scientifiques et épistémologiques

1. L'exigence de plausibilité scientifique de ce qui est mis en avant

L'éducation est une pratique humaine complexe et à forte dimension normative et cela a d'importantes conséquences sur la place que peut occuper la recherche empirique dans les décisions qui la concernent.

C'est ainsi, par exemple, qu'il n'est pas toujours nécessaire de faire de la recherche pour clarifier certains des aspects de l'éducation et pour décider de certaines de ses orientations.

De plus, comme dans les autres sciences sociales, la recherche en éducation, je veux dire bien entendu la bonne et crédible recherche, est éminemment difficile à réaliser là où elle est possible et souhaitable. C'est tout particulièrement vrai des travaux de recherche empiriques sur l'enseignement et l'apprentissage. (Il en existe pourtant qui sont crédibles, mais leurs résultats contredisent largement ce que prône la réforme.) Prenons un exemple banal. Supposons que vous ayez identifié un problème qui vous intéresse et dont la solution ne saurait être conceptuelle : disons que vous vous passionnez pour la question de l'impact de l'humour du professeur sur les résultats scolaires de ses élèves. Vous vous proposez donc de réaliser une recherche empirique. Mais pour cela, vous devrez d'abord produire des définitions des concepts que vous voulez employer : qu'est-ce que l'humour et comment le reconnaîtrez-vous ? Puis, vous devrez réaliser votre recherche, idéalement dans des conditions rigoureuses : vous aurez des groupes constitués de manière aléatoire et suffisamment nombreux ; vous aurez un groupe expérimental et un groupe témoin ; vous vous efforcerez de garder les méthodes d'enseignement identiques, à l'exception de l'humour. Et ainsi de suite.

Ces conditions sont très difficiles à satisfaire et ne le sont que rarement dans la recherche réalisée en éducation. En lieu et place, et de manière massivement prévalente, on y appelle « recherche » le recours à toutes sortes de théories plus ou moins sérieuses, souvent hautement abstraites et empruntées ici et là aux sciences sociales ou à la philosophie. Il en résulte une sorte d'artificialisme théorique parfois désolant. En résulte aussi ceci que la recherche fiable est souvent ignorée ou méconnue, tandis que celle qui est connue et utilisée par les décideurs n'est pas fiable.

Pour finir, là où elle est possible et souhaitable, ce que la recherche correctement menée découvre n'a pas toujours de répercussions claires et univoques pour la pratique et n'offre pas toujours la garantie que les effets mis en évidence par la recherche vont se répercuter dans les classes.

Il existe néanmoins des résultats de recherche qui ont de l'importance pour la pratique et qui ont été établis avec un fort degré de probabilité.

Ces résultats permettent notamment d'affirmer : la supériorité de méthodes pédagogiques faisant progressivement passer du simple au complexe, plutôt que l'inverse ; que des méthodes centrées sur l'enseignement sont plus efficaces que des méthodes pédagogiques centrées sur l'élève – et cela tout particulièrement pour les apprentissages des savoirs fondamentaux et pour les élèves en difficulté ou provenant de milieux défavorisés ; que des activités cognitives de haut niveau et qui définissent l'expertise dans un domaine donné sont la résultante de la maîtrise, jusqu'au sur-apprentissage (*over learning*), d'un vaste répertoire de connaissances qui, seul, libère la mémoire de travail pour l'exercice d'une pensée critique, créatrice et ainsi de suite ; que de telles compétences cognitives de haut niveau sont spécifiques à un domaine donné et ne sont pas transférables à d'autres domaines ; et de nombreux autres.

C'est sur ce point précis qu'une part substantielle des oppositions à la réforme, dont la mienne, se sont d'abord cristallisées.

La réforme, en effet, prônait des pratiques qui allaient globalement à l'encontre de ces résultats de recherche crédibles, de sorte que ses prétentions nous ont d'emblée paru non fondées.

Le désarroi que plusieurs d'entre nous ont alors ressenti a été encore exacerbé du fait que les résultats de ces recherches crédibles, tout donnait à le penser et en particulier le fait qu'ils n'étaient à toutes fins utiles jamais cités dans la littérature réformiste, n'étaient pas connus des partisans de la réforme. C'était tout particulièrement le cas de ces études comparant les effets de méthodes pédagogiques très proches de celles que la réforme prônait à ceux obtenus par des méthodes d'instruction directe et centrées sur l'enseignement, que la réforme décriait. Ces travaux montraient, de manière convaincante, l'infériorité des premières, tout particulièrement pour les enfants en difficulté ou provenant de milieux défavorisés – la principale de ces études étant *Follow Through*.

C'était encore le cas pour bon nombre d'autres idées fondatrices de la réforme et notamment pour les méthodes par lesquelles elle entendait développer les compétences cognitives de haut niveau: les travaux sur l'expertise menés depuis un demi-siècle en psychologie cognitive permettaient sur ce plan d'affirmer avec une grande assurance que les moyens préconisés par la réforme avaient peu de chance d'atteindre les objectifs qu'elle se donnait. Cette fois encore, ces travaux n'étaient, sauf erreur de ma part, jamais évoqués (ne serait-ce que pour être critiqués) dans la littérature réformiste – ce qui se comprend peut-être du fait que les écrits concernant cette question, dans cette littérature, étaient massivement produits par un auteur formé en sociologie, Philippe Perrenoud.

La leçon à tirer de tout cela est manifeste.

Je suggère qu'à l'avenir toute proposition de réforme de l'éducation devra être démonstrativement fondée sur les meilleurs et les plus plausibles résultats de la recherche crédible portant sur l'éducation et tout particulièrement sur les méthodes pédagogiques et sur la psychologie cognitive. Certes, et j'en conviens, ces travaux ne peuvent, à eux seuls, décider des orientations d'une réforme de l'éducation; mais ils contiennent de précieux enseignements et on paiera collectivement un prix fort si on les ignore.

2. *L'adoption d'un principe de «précaution pédagogique»*

Il est impossible, dans le Québec d'aujourd'hui, de se livrer à quelque étude que ce soit impliquant des sujets humains, même si elle peut paraître anodine, sans auparavant faire approuver cette étude et sa méthodologie, typiquement par un comité d'éthique. Il n'existe rien de tel pour l'éducation et on a ainsi pu se livrer, sur les cerveaux des enfants, à une expérience reposant sur des fondements douteux et dont les effets étaient, au mieux, incertains.

C'est ainsi que cette très ambitieuse réforme a pu être lancée sans avoir au préalable été sérieusement testée et sans que des mécanismes d'évaluation rigoureux de ses effets aient été mis en place. Cela est inadmissible. Je propose donc l'adoption de ce que j'appelle un principe de précaution pédagogique en vertu duquel toute proposition de réforme devrait, dans l'éventualité où ses fondements sont crédibles et plausibles, être rigoureusement évaluée à petite échelle et cela par des tiers indépendants et compétents avant d'être implantée à large échelle.

Je suis persuadé que notre réforme, qui n'a pas fait l'objet d'une telle évaluation, n'aurait pas passé cette étape, ce qui nous aurait en ce cas permis de faire une extraordinaire économie d'argent, de temps et d'énergie.

Dans l'éventualité où une proposition de réforme passerait cette étape, le principe de précaution que je propose voudrait encore que son implantation à plus large échelle soit soigneusement suivie et évaluée, cette fois encore par des partis indépendants, de manière à pouvoir procéder aux réajustements qui s'avéreront nécessaires – car il y en aura certainement.

Des leçons de politique

3. Favoriser la transparence démocratique

Je viens d'insister sur la nécessité de confier à des partis indépendants les évaluations auxquelles soumettre toute proposition de réforme. Ce n'est pas sans raison.

L'évaluation de notre réforme a eu tendance à être confiée à des personnes ou à des institutions qui adhéraient à ses principes et avaient intérêt à ce que les résultats de ces évaluations soient positifs. Cela a été possible en raison de cette fermeture sur lui-même du milieu de l'éducation que j'ai appelée la «funeste alliance», celle qui se noue par exemple entre chercheurs confiants de la valeur de leurs travaux puisqu'ils sont adoptés par les décideurs du ministère confiants de la valeur de leurs propositions de réforme puisqu'elles reposent sur des travaux de recherche.

Une telle fermeture ne doit plus être et le monde de l'éducation, s'il doit s'ouvrir aux expertises scientifiques, comme je l'ai suggéré plus haut, doit aussi apprendre la véritable transparence et le respect de la démocratie. Car c'est bien ce renfermement et ce manque d'ouverture qui expliquent que les résultats de la vaste consultation des États généraux de l'éducation, menée au milieu des années 1990 et qui avait abouti à un consensus quant au renforcement du curriculum, ont pu être entièrement détournés et conduire à une réforme des méthodes pédagogiques.

Considérez à ce propos ce qu'on appelle les «domaines généraux de formation». Il s'agit de sujets, de thèmes et de problématiques liés à la vie courante hors de l'école et au développement desquels celle-ci doit contribuer. L'école de la réforme identifie cinq domaines généraux de formation, parmi lesquels on retrouve: «Orientation et entrepreneuriat». On y propose notamment d'initier les enfants, dès l'âge de six ans (j'y insiste), aux valeurs qui caractérisent les entrepreneurs – la créativité, la confiance en soi, la ténacité et l'audace (!) – en leur faisant réaliser des «projets» qui les aideront à préparer leur «avenir professionnel».

Il y a fort à parier que sous le charabia ministériel on retrouve, dans les faits, un effort visant à inculquer une idéologie liée à l'économie de marché et qui prendra bien souvent la forme, disons, de vente de tablettes de chocolat pour financer la réparation des pupitres. Ce que cela fait à l'école est pour moi un profond mystère. Mais il faut noter que depuis que ce bidule a fait son entrée dans les documents officiels, il existe une bouillonnante activité autour du développement de l'esprit d'entreprise chez les enfants.

Le gouvernement finance ainsi divers programmes faisant la promotion de l'esprit d'entreprise chez les enfants du primaire. Des entreprises privées se sont lancées dans l'aventure. Des universitaires organisent de savants colloques et des conférences sur le sujet; des enseignantes et des enseignants font faire des projets à leurs élèves et se perfectionnent sur ce nouvel objet d'enseignement. On est en droit de se demander comment cela, qui est contestable et qui serait vraisemblablement contesté au sein de la population, s'est retrouvé dans le programme de nos écoles.

Pour le savoir, on peut consulter un document découvert sur Internet (mais aujourd'hui disparu[3]) et qui reprend une conférence donnée par Paul Inchauspé, un des pères de la réforme qui, à ce titre, dirigeait le Groupe de travail sur le curriculum d'études. Dans cette conférence, où M. Inchauspé s'adressait à un public vendu à ses idées, il donne de précieuses et très révélatrices informations sur la manière dont s'est faite l'introduction de ce volet dans les programmes d'études du Québec, ainsi que sur l'esprit avec lequel il a été introduit.

Inchauspé raconte qu'à la fin des travaux de ce groupe, à l'étape de la révision des épreuves imprimées, il a constaté que son groupe de travail n'avait pas introduit la formation à l'entreprenariat dans le document officiel – et de la plus haute importance – qu'il s'apprêtait à remettre à la ministre de l'Éducation d'alors, Pauline Marois. Il décide alors, de son propre chef, que c'est un... oubli. On pourrait croire que ce groupe, qui a travaillé longtemps, savait ce qu'il faisait en incluant ce qu'il a inclus et en excluant ce qu'il a exclu. Il semble que non. Pas aux yeux de M. Inchauspé du moins, qui explique que l'absence d'un volet consacré à l'entrepreneuriat est un oubli. M. Inchauspé rappelle pourtant que son groupe avait discuté de ce thème au début de ses travaux, mais l'avait écarté, jugeant que ce n'était pas le rôle de l'école primaire ou secondaire – ce qui ne ressemble pas à un oubli! Tant pis: il se dit certain que s'il avait ramené le sujet à la fin des travaux du groupe, les membres auraient acquiescé. Il est hélas trop tard pour changer le rapport. Que faire? C'est tout simple. Il se trouve qu'un Comité des programmes vient d'être créé et que la personne qui le dirige est une amie d'Inchauspé, Jeanne Paule Berger, qui faisait même partie du groupe qu'il dirigeait. Inchauspé va donc trouver son amie pour lui demander de corriger son «oubli».

M. Inchauspé, en verve et en confidences ce jour-là, raconte qu'il fréquente aussi, depuis longtemps, Claude Ruel qui vient de prendre la direction de l'Institut de la Fondation de l'entrepreneurship. M. Ruel lui demande de faire partie d'un comité d'orientation qu'il vient de créer. M. Inchauspé accepte et demande à son tour à son

3. Il se trouvait à <http://webzinemaker.com/admi/exec/>. Lien consulté le 29 septembre 2006.

ami, convaincu comme lui que l'école doit dès le primaire développer les attitudes qui caractérisent l'entrepreneurship, d'argumenter en faveur de cette position devant le Comité national des programmes (de madame Berger) et la fera accepter par lui. Ce qui fut fait, avec succès. Voilà. Les choses se sont, semble-t-il, passées ainsi. Et c'est pourquoi, très démocratiquement, la bosse des affaires pousse désormais chez les enfants de six ans au Québec – ou en tout cas le devrait.

Cette concession à l'économisme ambiant n'est pas seulement déplorable en raison de sa nature et par la manière dont elle a été obtenue: elle l'est aussi sur un strict plan éducatif. Car à l'empressement de développer des compétences entrepreneuriales, le monde de l'éducation devrait, ce qui est son devoir et relève de sa mission propre, opposer la plus lente, sans doute, mais ô combien plus pertinente, acquisition de connaissances en économie qui feront du futur citoyen un participant lucide de la grande conversation démocratique. Mais la réforme a aussi signifié la disparition d'un véritable cours d'initiation à l'économie, au profit d'un cours fourre-tout sur le monde contemporain.

4. *La réaffirmation du statut de l'école*

Outre les enfants provenant de milieux défavorisés ou ayant des difficultés à apprendre, la grande perdante de la réforme de l'éducation est probablement l'école publique elle-même, que désertent de plus en plus de parents qui sont capables de payer une école privée à leurs enfants. Le crédit de ce bien commun immensément précieux qu'est l'école publique est aujourd'hui au plus bas et il y aura fort à faire pour remonter cette pente.

La perspective philosophique où je me place invite à suggérer que les actions qui seront posées pour ce faire devraient aller dans le sens d'une forte réaffirmation du statut de l'école en tant qu'institution publique à vocation perfectionniste réalisée par la transmission de connaissances. Trois exigences apparaissent alors d'emblée.

La première est que l'école soit sanctuarisée, avec obligation pour la société de s'adapter à elle et non l'inverse.

La deuxième, que l'école soit recentrée sur un modèle libéral d'éducation dans lequel les diverses «formes de savoir» (pour reprendre à P. Hirst sa célèbre expression[4]) par lesquelles l'humanité a exploré et continue d'explorer le monde sont parcourues par les élèves dans le but de construire progressivement leur autonomie et leur rationalité.

La troisième est que l'on admette et reconnaisse qu'entre les divers contenus qu'elle pourrait transmettre, seuls ceux qui relèvent de ce que l'humanité a fait et dit de mieux ont droit de cité dans l'école; d'autant plus que l'école est le plus souvent la seule institution à pouvoir initier à de tels contenus, qui, pour bien des enfants, ne sont aisément accessibles qu'en ses murs – et c'est tout particulièrement le cas de ces enfants qui n'ont pas la chance d'avoir, à la maison, un accès direct à ces connaissances.

5. L'imputabilité des réformateurs

Cette idée d'imputabilité des réformateurs me semble d'une telle évidence que je ne cesse de m'étonner qu'on ne demande jamais aux personnes qui ont pensé, promu et implanté cette réforme de rendre compte de leurs gestes et de leurs décisions.

Je ne propose évidemment pas ici une chasse aux sorcières; je sais parfaitement que l'on peut se tromper, surtout sur des questions de politique sociale dans un domaine aussi complexe que l'éducation; et je ne doute pas non plus de la bonne foi de bien des partisans de la réforme.

Mais en bout de piste, il n'en demeure pas moins qu'on devrait, lorsque l'on prend des décisions aussi importantes, avoir sinon des comptes à rendre, du moins des explications à fournir quand il s'avère que ces décisions n'étaient guère avisées. Je laisserai cependant volontiers à d'autres personnes plus compétentes que moi en ces matières le soin de dire comment cette imputabilité, qui est indispensable, pourra devenir possible et être sereinement conduite.

---

4. Paul Hirst, «Liberal education and the nature of knowledge», dans Reginald D. Archambault, *Philosophical Analysis and Education*, Londres, Routledge, 1965.

6. La liberté d'expression des dissidents

Je serai ici fort bref, convaincu que quiconque est dans le milieu de l'éducation sait parfaitement de quoi il est question.

Dans ce monde de l'éducation fermé sur lui-même, toute contestation des principes mis de l'avant par la réforme n'a pu, depuis dix ans, se faire qu'à un prix personnel et professionnel parfois très lourd, au point où de nombreuses personnes ont longtemps préféré se taire plutôt que de faire connaître leurs doutes ou leurs désaccords.

L'acquiescement à ces principes, au contraire, était une garantie de progression professionnelle et d'accès à ce capital symbolique et parfois financier contrôlé par des décideurs ne supportant pas la dissidence.

Outre tant de personnes qui ont enduré en silence ou encouru diverses punitions dans leur vie professionnelle, c'est bien entendu l'indispensable débat démocratique qui a souffert de ce très malsain état de fait et, partant, nos enfants eux-mêmes.

Il importe donc d'instaurer les conditions d'un véritable et sain dialogue, dans lequel les divers points de vue peuvent se faire entendre. Cela est d'autant impératif que notre savoir, sur toutes ces problématiques que la réforme met en jeu, est souvent bien modeste.

Des leçons idéologiques

7. La distinction entre progressisme politique et progressisme pédagogique

La réforme s'est voulue une proposition progressiste à la fois politiquement et pédagogiquement. Or il ne s'agit pas de la même chose, et la confusion entre ces deux positions peut avoir de très profondes, dramatiques et paradoxales implications.

C'est ainsi que le progressisme en politique, que heurte violemment les inégalités devant l'école et qui aspire à lutter contre elles en aidant les enfants en difficulté ou provenant de milieux défavorisés, est desservi par un progressisme pédagogique auto-proclamé qui préconise des méthodes actives, douces, constructivistes et centrées sur l'élève, là où ces enfants, plus que les autres, ont pourtant besoin de méthodes d'instruction directe et d'un enseignement centré sur l'enseignant plutôt que sur l'élève. Le paradoxe est d'autant plus grand que ces dernières méthodes favorisent en outre les enfants qui ont déjà acquis, à la maison, hors de l'école, nombre des pré-requis qui permettent d'y fonctionner efficacement, de sorte que l'objectif politique est ici explicitement contredit par les moyens pédagogiques qui favorisent encore plus les enfants de milieux aisés et cultivés.

Le constructivisme radical, un des piliers théoriques de la réforme, a parfaitement incarné cette prétention à un radicalisme théorique qui débouchait finalement sur des pratiques pédagogiques malsaines et sur un relativisme épistémologique dont doit absolument se distancer une véritable position politique radicale, si tant est qu'elle aspire à comprendre le monde et à le changer.

Je donnerai un dernier exemple du prix à payer pour entretenir cette fâcheuse confusion. Il s'agit cette fois de ces interminables débats qui ont eu cours concernant le bulletin et l'évaluation. Ceux-ci, à mon sens, se comprennent mieux si on les examine comme résultant de la confusion que je déplore ici. Sous prétexte que l'évaluation paraît politiquement réactionnaire, on prive les parents d'un précieux outil d'information sur ce que font les enfants à l'école et les enseignantes et enseignants d'un indispensable outil leur permettant de savoir ce que vaut leur enseignement, ce qui est pédagogiquement dramatique.

Arendt, mieux que quiconque à ma connaissance, a parfaitement vu ce paradoxe qui fait que l'école, institution vouée à la conservation du passé et à l'initiation au monde d'esprits neufs qui devront plus tard y vivre et y innover à leur tour, se doit d'être pédagogiquement conservatrice, faute de quoi elle court le risque d'être politiquement réactionnaire[5]. La réforme québécoise de l'éducation lui a une fois de plus donné raison.

---

5. Ce célèbre texte aux accents prémonitoires s'intitule: «La crise de l'éducation». Il est reproduit dans: Hannah Arendt, *La crise de la culture*, Trad. C. Vézin, coll. Idées, Paris, Gallimard, 1972. Après avoir notamment déploré que «sous l'influence de la psychologie moderne et des doctrines pragmatiques, la pédagogie [soit] devenue une science de l'enseignement en général, au point de s'affranchir complètement de la matière à enseigner», Arendt écrit: «Dans

8. *La méfiance envers des slogans*

Pour une raison que j'ai du mal à m'expliquer entièrement, le monde de l'éducation est un lieu dans lequel fleurissent un jargon très singulier, qui complexifie inutilement certaines choses – les Américains l'appellent l'*Educando* – ainsi que des slogans qui sont à la fois, et très étrangement, rassurants mais vides.

Des idées comme «l'élève construit son savoir», ou «Construire sa conscience citoyenne à l'échelle planétaire», «développer sa créativité», en sont des exemples. La réforme en a fait connaître un grand nombre. Il suffit pourtant de gratter la statue dorée pour que le vil métal apparaisse, de se demander ce que cela peut bien signifier exactement pour constater que l'affirmation est soit banale, soit manifestement fausse, soit vide.

La disparition de ces slogans sera un bon indice que l'état de santé de l'éducation s'améliore. Pourront y aider les leçons professionnelles que je suggère que nous tirions des dix années qui viennent de s'écouler.

Des leçons professionnelles

9. *Le renforcement de la formation des maîtres*

Je le dirai sans ambages: une longue fréquentation des œuvres des pédagogues du passé, des penseurs de l'éducation d'autrefois et des philosophes de l'éducation aurait constitué un précieux moyen d'autodéfense intellectuelle contre bon nombre des idées prônées

---

le monde moderne, le problème de l'éducation tient au fait que par sa nature même l'éducation ne peut faire fi de l'autorité, ni de la tradition, et qu'elle doit cependant s'exercer dans un monde qui n'est pas structuré par l'autorité ni retenu par la tradition. Mais cela signifie qu'il n'appartient pas seulement aux professeurs et aux éducateurs, mais à chacun de nous, dans la mesure où nous vivons ensemble dans un seul monde avec nos enfants et avec les jeunes, d'adopter envers eux une attitude radicalement différente de celle que nous adoptons les uns envers les autres. Nous devons fermement séparer le domaine de l'éducation des autres domaines, et surtout celui de la vie politique et publique. Et c'est au seul domaine de l'éducation que nous devons appliquer une notion d'autorité et une attitude envers le passé qui lui conviennent, mais qui n'ont pas une valeur générale et ne doivent pas prétendre détenir une valeur générale dans le monde des adultes. En pratique, il en résulte que premièrement, il faudrait bien comprendre que le rôle de l'école est d'apprendre aux enfants ce qu'est le monde, et non pas leur inculquer l'art de vivre.»

par la réforme et aurait permis d'en relativiser la nouveauté et invité à la modestie quant à leurs prétentions.

Pour ma part, je n'échangerais pas la quelque centaine de pages que Platon consacre à l'éducation pour tout ce qu'ont pu écrire les théoriciens de la réforme depuis dix ans et ces pages m'ont été infiniment précieuses pour évaluer ce qu'ils prônaient. Avoir sérieusement lu Platon, Rousseau, Dewey[6], Peters[7] et de très nombreux autres auteurs devrait être une composante essentielle de la formation de toute enseignante et de tout enseignant, au même titre qu'une familiarité avec les résultats tant de la recherche crédible sur l'apprentissage que de la psychologie cognitive.

Je ne pense pas trahir de grand secret en rappelant que la formation offerte aux futurs maîtres, hélas, en plus de tendre à être massivement centrée sur les postulats de la réforme enseignés comme des dogmes, n'est pas d'une très grande valeur intellectuelle. Je peux témoigner ici du nombre d'étudiants qui s'en plaignent amèrement et du nombre de ceux et de celles qui quittent l'enseignement pour cette raison.

---

6. John Dewey (1859-1952) est un influent philosophe, pédagogue et réformateur social américain. Sa philosophie instrumentaliste est une forme de pragmatisme. Dewey insiste pour affirmer que nous ne sommes pas de simples spectateurs d'un monde dont nous serions coupés, mais des organismes inséparables de leur environnement et qui y agissent. De son point de vue, théorie et pratique, sujet et objet, corps et esprit, sont autant de vains dualismes hérités de la philosophie traditionnelle qui ont conduit, d'une part, à des impasses comme celle, en épistémologie, du scepticisme à propos du monde extérieur, d'autre part, à une conception «spectatoriale» de la connaissance: tout cela doit être dépassé. Le naturalisme empiriste ou instrumentalisme qu'il propose, et qui commence par abandonner l'idée d'un sujet observateur du monde et coupé de lui, le conduit à envisager nos idées, depuis les plus humbles d'entre elles jusqu'aux plus élaborées de nos théories scientifiques, comme autant d'instruments permettant de résoudre des problèmes, des instruments qu'on abandonnera dès que de meilleurs sont disponibles. On devine ce que lui doivent, en éducation, l'insistance mise sur les projets et le développement de compétences dans l'action. *Democracy and education* (1916) est généralement tenu pour son chef-d'œuvre en éducation.
7. Dès le début des années soixante du siècle dernier, Richard Stanley Peters a apporté à la philosophie de l'éducation les ressources de la philosophie analytique. Il n'est pas excessif de voir en lui le plus important rénovateur de la philosophie de l'éducation dans le monde anglo-saxon. On lui doit une vigoureuse défense et reformulation d'une conception libérale de l'éducation, exposée notamment dans: *Ethics and Education*, Londres, Allen and Unwin, 1966.

Il importe donc de rehausser cette formation des maîtres, aussi bien sur les plans scientifique, philosophique et culturel que sur celui de la formation disciplinaire des maîtres du secondaire.

À l'endroit de maîtres solidement formés, on pourra avoir des exigences élevées et on pourra raisonnablement espérer qu'ils collaboreront au succès d'une réforme. Mais ils en seront alors des collaborateurs et nos exigences devront respecter leur autonomie professionnelle : ce sera ma dixième leçon.

10. Le respect de l'autonomie des enseignantes et enseignants

La réforme a été perçue par nombre d'enseignants non seulement comme un profond bouleversement mais aussi comme quelque chose qui s'est imposé à eux et qui limitait fortement leur autonomie professionnelle, en particulier sur les plans des méthodes d'enseignement et de l'évaluation des apprentissages. C'est là une autre des raisons de son échec.

Aucune réforme de l'éducation ne sera possible sans le concours des enseignants traités comme des professionnels dont on respecte l'autonomie et à qui on explique les changements souhaités, qui conviennent de leur désirabilité et à qui on laisse une large marge de manœuvre.

Sur ce plan, il faut bien avouer que les réformateurs ont souvent pêché par un manque énorme de pédagogie dans l'exposé de leurs idées.

11. La modestie des ambitions

Le milieu de l'éducation, du moins hors des universités et du ministère, est un milieu globalement conservateur. Il l'est politiquement et on peut le déplorer. Mais il l'est aussi sur le plan pédagogique et il est en un sens rassurant qu'il en soit ainsi, comme je l'ai affirmé plus haut.

Il s'ensuit que des réformes en éducation qui ambitionnent d'apporter de trop profonds bouleversements n'ont que peu de chance d'être appuyées par la majorité des enseignantes et enseignants et qu'il faudra à l'avenir avoir des objectifs plus modestes et proposer des changements moins radicaux que ceux que la réforme prônait.

12. La proportionnalité des exigences et des moyens de les satisfaire

J'aime à rappeler à mes étudiantes et étudiants les conditions qui prévalaient à la célèbre École-laboratoire que Dewey a animée à Chicago, durant quelques années à la fin du XIXe siècle et au début du XXe, et qui mettait en œuvre certains principes que la réforme a voulu mettre de l'avant.

Cette école, durant les trois dernières années de son existence (1901-1904), accueillait 140 enfants; on y trouvait 23 professeurs, qu'on devine très motivés et qui avaient été choisis par Dewey, ainsi que 10 assistants. L'école était dirigée par Dewey et une directrice chevronnée. Les élèves inscrits provenaient, semble-t-il, de milieux intellectuellement et financièrement favorisés[8]. Ces conditions sont exceptionnelles et elles contrastent fortement avec celles qui ont présidé à la mise en place de notre réforme: l'irréalisme de ses ambitions n'en est que plus manifeste.

Il sera opportun, à l'avenir, d'avoir des ambitions à la mesure des moyens dont nous disposons.

* * *

Telles sont les leçons qu'il serait selon moi sage de tirer des dix dernières années.

J'en rajouterais peut-être une toute dernière, condition de toutes les autres: il est important de tirer des leçons des expériences passées. Nous devons à nos enfants d'apprendre sans délai à le faire.

---

8. On lira avec profit Katherine C. Mayhew et Anna C. Edwards, *The Dewey School – The Laboratory School Of The University Of Chicago 1896-1903*, New York, Appleton-Century, 1936.

Les sciences solubles dans le Renouveau pédagogique

Mathieu-Robert Sauvé[1]

Mentos, Juicy Fruit, Chicklets, Dentine, Thrills, Hubba Bubba, Stride... Toutes les variétés de gommes à mâcher disponibles sur le marché sont là, devant nous, sur la table de Maxime et Gabriel. Les chercheurs de neuf ans ont mâché, mâché, mâché... pour parvenir à la conclusion que la Stride gardait sa saveur pendant 3 heures, 6 minutes et 11 secondes. Une performance remarquable face aux concurrentes qui ne goûtent plus rien après 45 minutes. «Notre expérience portait sur la durabilité des saveurs de gommes, explique Maxime. Au total, 16 marques ont été testées.»

Nous sommes à l'expo-technoscientifique annuelle de l'école Fernand-Seguin, dans le quartier Ahuntsic, à Montréal. Au menu: nutrition, génétique, géologie, médecine dentaire, médecine vétérinaire, robotique, environnement, physique, chimie. «Ces présentations sont l'aboutissement de l'année scientifique de nos élèves, de la maternelle à la sixième; il y en a pour tous les goûts», explique le directeur de l'école, Alain Rouillard.

Malheureusement, cette école qui consacre 40% du temps scolaire aux projets scientifiques est l'exception qui confirme la règle, au Québec. Seulement deux écoles primaires sur les 1889 du réseau (Fernand-Seguin-Montréal et Fernand-Seguin-Sainte-Foy, comptant ensemble moins de 700 enfants sur les 478621 actuellement

1. Auteur et reporter scientifique, Mathieu-Robert Sauvé est président de l'Association des communicateurs scientifiques du Québec. Il a remporté plusieurs prix de journalisme et d'écriture. Il est le père de trois fils.

inscrits) ont choisi de mettre la science au centre de leur approche pédagogique. Les 1887 autres font de la science… à l'occasion.

«L'enseignement des sciences, au primaire, est dans un piètre état», soupire Patrice Potvin, professeur à l'UQAM et coauteur de *Regards multiples sur l'enseignement des sciences*, paru en 2007 aux éditions MultiMondes. Selon ce spécialiste de la didactique des sciences, la science était déjà l'enfant pauvre du système scolaire avant que le ministère de l'Éducation n'applique à l'école primaire, en 2000, la réforme scolaire, ou renouveau pédagogique.

L'ancien programme faisait des «Sciences de la nature» une matière obligatoire du début du primaire jusqu'à la cinquième année du secondaire. En clair, les enseignants du primaire devaient y consacrer une heure par semaine de la première à la troisième année, puis 90 minutes de la quatrième à la sixième année. Le nouveau programme ne précise pas combien de temps l'enseignant doit consacrer au domaine de la science et de la technologie.

En effet, à l'Article 22 du nouveau régime, les termes «Science et technologie» apparaissent, mais seulement dans la catégorie des matières non obligatoires de la troisième à la sixième année. Elles sont donc en concurrence avec art dramatique, arts plastiques, danse, musique, enseignement moral, enseignement moral et religieux, géographie, histoire et éducation à la citoyenneté[2].

La raison de ce changement n'est pas précisée. On reconnaît pourtant l'importance de la science et de la technologie, comme en témoigne le passage suivant, tiré du *Programme de formation de l'école québécoise*: «Bien que la science et la technologie ne soient pas inscrites à la grille-matières du premier cycle du primaire, il importe d'initier l'élève à leurs rudiments à travers l'observation, la manipulation, le questionnement ou les modes de raisonnement logique tels que la classification et la sériation. À cet âge, les enfants se montrent généralement intéressés par de nombreux phénomènes reliés au monde qui les entoure. L'élève du premier cycle sera

2. Les mathématiques, à laquelle les enseignants doivent consacrer sept heures d'enseignement par semaine de la première à la troisième année, puis cinq heures de la quatrième à la sixième année, sont bien entendu une «matière obligatoire».

donc amené à s'initier à l'activité scientifique et technologique en développant la compétence 'Explorer le monde de la science et de la technologie'[3] ». Mais on rajoute aussitôt: «Cet apprentissage devra se réaliser à travers les autres disciplines et les domaines généraux de formation.»

Essentielles sciences

On sait depuis deux décennies que les enfants mis en contact avec des notions scientifiques dès leur plus jeune âge développent, de façon précoce et durable, un intérêt pour les sciences. «Si les adolescents entrent à l'école secondaire avec des sentiments positifs face à la science et obtiennent des bons résultats durant leurs premiers cours de science, ils auront plus de facilité dans leurs cours ultérieurs. Cela ouvre la voie à un intérêt pour l'étude scientifique qui durera toute la vie», mentionnaient en 1990 les chercheurs américains Ronald Simpson et Steve Oliver dans *Science Education*[4]. Dans cet article, qui fait autorité encore de nos jours, on s'appuie sur une étude menée auprès de milliers d'enfants sur une décennie. On a suivi diverses cohortes de jeunes qui avaient ou non suivi des cours de science au primaire. Les différences sont spectaculaires.

Parmi les constats des chercheurs, figure un déclin généralisé de l'intérêt pour les sciences (légèrement atténué chez les garçons), qui apparaît entre la sixième et la dixième année de scolarité. Les attitudes parentales et les traits de personnalité distinctifs renforcent la motivation des élèves, à condition que ceux-ci «interagissent avec les expériences scientifiques formelles reçues à l'école primaire[5] ».

3. *Programme de formation de l'école québécoise, éducation préscolaire, enseignement primaire*, Ministère de l'Éducation, du Loisir et du Sport, État du Québec, 2008, p. 144. Disponible en ligne : <http://www.mels.gouv.qc.ca/dgfj/dp/programme_de_formation/primaire/pdf/prform2001nb/prform2001nb.pdf>.
4. Traduction de « If adolescents enter middle or junior high school with positive feelings toward science, and experience success during their initial courses in science, it is likely that they will elect to take and will be successful in additional science courses. This, in turn, leads to a positive commitment to science that influences lifelong interest and learning in science.» Ronald D. Simpson and J. Steeve Oliver, «A summary of Major Influences on Attitude Toward and Achievement in Science Among Students», *Science Education*, nº 1, 1990, p. 1-18.
5. Traduction de «interact with the formal science experiences a youngster receives in elementary school».

Dans leur conclusion, les auteurs précisent que l'école primaire, plus encore que la maison familiale, est le lieu où les jeunes sont amenés à développer une attitude positive face aux questions scientifiques. «L'école, particulièrement la salle de classe, a la plus forte influence sur les attitudes des jeunes face à la science. Même si l'individu et le milieu familial ont une influence significative sur ce processus, notre étude montre clairement que les sentiments des adolescents face à la science et leurs engagements ultérieurs dans leurs cours de science s'appuient largement sur la salle de classe», peut-on lire[6].

Pour Gilles Cantin et Nathalie Bigras, de l'UQAM, l'enseignement des sciences n'est jamais assez précoce et devrait s'amorcer auprès d'enfants qui savent à peine parler... Dès qu'un bambin en service de garde manipule une boîte d'où s'échappent des blocs ou un liquide quelconque, il procède à une certaine forme d'expérimentation. «Pour certains, écrivent-ils dans *Regards multiples sur l'enseignement des sciences*, il peut s'avérer difficile de croire que ces jeunes enfants s'adonnent à des activités scientifiques. Pourtant, de nombreux professionnels de l'éducation de la petite enfance considèrent que ces jeux en apparence anodins constituent bel et bien la base même de l'éveil aux sciences[7].»

Référant aux travaux du psychologue suisse Jean Piaget (1896-1980), ils estiment que les éducatrices en garderie peuvent mettre en valeur la période sensorimotrice (de 0 à 2 ans) des enfants où ils passent de réflexes innés (la succion, par exemple) à des activités intentionnelles. En laissant tomber des objets à répétition sur le sol, en poussant, tirant, secouant tout ce qui lui tombe sous la main, l'enfant «construit par son expérimentation sa connaissance du monde». L'adulte peut participer pleinement à cette découverte

6. Traduction de «School, particularly classroom, variables are the strongest influences on attitudes toward science. While individual and home influences contribute significantly to this foundation, it is clear from this study that the basic feelings an adolescent formulates toward the enterprise of science and toward their further involvement with science courses is in large measure mediated by the science classroom».
7. Gilles Cantin et Nathalie Bigras, «Enseigner les sciences dès la petite enfance», *Regards multiples sur l'enseignement des sciences*, Québec, éditions MultiMondes, 2007, p. 94-112.

sans avoir de connaissances scientifiques avancées. Les auteurs estiment même qu'il n'est pas requis de connaître les réponses dans une approche d'éveil aux sciences. «En fait, *ne pas avoir les réponses* est probablement un avantage pour éviter de tomber dans le piège qui consiste à étaler son savoir aux enfants au risque d'inhiber leur confiance en soi et leur désir d'explorer par eux-mêmes.»

Mais les didacticiens ne plaident pas pour autant l'ignorance. Les éducatrices doivent savoir comment interagir avec les petits pour les encourager dans leur éveil. Souvent, le temps dont elles disposent et les conditions matérielles ne sont pas adéquats. De plus, «il est probable qu'elles n'ont pas été suffisamment sensibilisées à l'importance de telles habiletés et au fait que l'éveil aux sciences peut se vivre aussi tôt dans la vie».

Le didacticien Marcel Thouin, professeur de sciences de l'éducation à l'Université de Montréal, abonde dans le même sens. On ne devient pas musicien professionnel lorsqu'on découvre le piano à 18 ans. «Le point commun des hommes et des femmes de science, c'est d'avoir manifesté tôt de l'intérêt et des aptitudes pour ce domaine. Dès cinq ou six ans, ils collectionnaient des cailloux, des plantes, ils posaient des questions sur l'origine de la pluie, la luminosité des étoiles... Il ne faut pas laisser leur intérêt s'étioler, sans quoi on risque de se priver d'un grand nombre de personnes capables d'occuper des postes liés aux sciences et aux technologies – secteurs qui souffrent de pénurie. Je ne veux pas abolir les autres matières au primaire. Mais un historien ou un géographe découvre, en général, sa passion plus tard[8].»

Des «traumatisées des sciences»

Dans les écoles primaires qu'il visite, Marcel Thouin entend des témoignages d'enseignants mal à l'aise avec les attentes ministérielles en matière de science. «Il y a actuellement environ le tiers des enseignants qui ne tiennent absolument pas compte du programme scientifique au primaire, évalue-t-il. Une proportion similaire s'en inspire en partie et un dernier tiers y adhère de façon

8. Extrait d'un entretien publié dans *L'actualité*, 17 août 2009, «Ne tuez pas Einstein!».

assez exhaustive.» Une évaluation que son collègue de l'UQAM, Patrice Potvin, considère conservatrice. Selon lui, le premier groupe est plus important encore. «Certaines classes font du bon travail mais la plupart des enseignants évacuent discrètement la matière», déplore-t-il.

Patrice Potvin pense avoir trouvé l'origine du malaise des enseignants du primaire: la formation scientifique qu'ils ont reçue au secondaire, et particulièrement le quatrième cours de science, «Physique 416-430». Explication: «La grande majorité des enseignants actuels sont des femmes qui ont gardé un très mauvais souvenir de ce cours. Il a fait d'elles des traumatisées des sciences.»

Selon son hypothèse («non scientifique», précise-t-il, car basée sur des échanges informels), les difficultés rencontrées dans ce cours[9] ont influencé un grand nombre de futurs enseignants à choisir le programme de sciences humaines sans mathématiques au cégep, de façon à éviter de croiser de nouveau la route de Newton et de Galilée. «Lorsqu'elles arrivent sur le marché du travail, ce sont souvent d'excellentes pédagogues mais peu enclines à bien enseigner les notions scientifiques», dit-il.

Bien sûr, certaines se plient de bonne foi aux recommandations ministérielles, mais elles choisiront des projets assez classiques: fabrication d'un herbier, atelier sur le cycle de l'eau, sur la disparition des dinosaures ou la formation des volcans...

L'apport du milieu de la culture scientifique

La réduction du nombre d'heures consacrées aux sciences à l'école primaire est «une absurdité», estime l'historien Yves Gingras. Il rappelle que les enfants doivent être mis en contact le plus tôt possible avec les concepts scientifiques. Le fondateur du Jardin botanique de Montréal et de l'ACFAS, le frère Marie-Victorin, défendait cette approche avec vigueur. «Il favorisait les échanges entre universitaires et enfants de la maternelle», souligne-t-il. La création du Cercle des jeunes naturalistes, dès les années 1930, allait dans ce sens.

9. Le cours a été aboli en septembre 2008 dans le programme du secondaire.

Selon Yves Gingras, il faut remonter à cette époque pour retrouver les origines de l'impressionnant réseau parascolaire d'animation scientifique qui s'est épanoui au Québec au cours du dernier demi-siècle. Incarné par le mouvement des Débrouillards, qui a essaimé dans 17 pays après avoir été fondé à Montréal par le sociologue Félix Maltais en 1981, le loisir scientifique occupe une place plus qu'enviable au Québec. «C'est un mouvement qui a pu grandir parce qu'il a pris naissance dans un terreau fertile, mentionne l'historien des sciences. Or, les Débrouillards ont repris le flambeau là où le Cercle des jeunes naturalistes et le Conseil des jeunes scientifiques l'ont laissé.»

De nos jours, les 150 à 200 animateurs des Débrouillards sont responsables, chaque année, de 1869 heures d'animation en classe touchant 30000 jeunes élèves à travers le Québec. De plus, 18000 autres jeunes s'inscrivent à des activités Débrouillards en milieu scolaire, dans des camps de jour ou par le moyen d'activités spéciales. Près de 10% des 478000 écoliers du Québec sont ainsi touchés. «Quand nous avons créé le mouvement, il n'y avait pas d'enseignement des sciences à l'école primaire, rappelle Félix Maltais. Et pour nous, c'était important qu'il y en ait. Mais jamais nous n'avons voulu nous substituer aux enseignants.»

Les animateurs ne font que soutenir l'enseignant, à sa demande. «Nous répondons aux besoins du milieu scolaire avec des animations thématiques d'une heure ou deux, explique Isabelle Jutras, coordonnatrice nationale du Club des Débrouillards au Conseil de développement du loisir scientifique (CDLS). Un principe de base est de permettre aux jeunes de participer activement à l'expérience.»

Cette recette simple et éprouvée a un succès fou dans tous les coins de la province. À Lac-Simon, en Abitibi, les Algonquins attendent maintenant avec impatience les animateurs du CDLS de Rouyn-Noranda qui viennent leur présenter chaque mois des notions scientifiques. «Au début, ils se méfiaient car ils ne connaissaient rien des sciences. Aujourd'hui, ils ont hâte de nous accueillir. Particulièrement les enfants à risque de décrocher», explique Viviane Desmeules, coordonnatrice des activités scientifiques au CDLS de l'Abitibi-Témiscamingue. Avec son adjointe, elle fait chaque mois le trajet de près de trois heures jusqu'à Lac-Simon pour rencontrer les 14 groupes de jeunes de l'école Amikobi. Avec un matériel simple et dans un langage accessible, elle présente aux jeunes autochtones des éléments de chimie, d'acoustique, d'optique, de physique et d'anatomie. Les enfants ont été impressionnés par l'activité consistant à faire entrer sans encombre un œuf à la coque dans un ballon de verre... et à l'en sortir.

Les CDLS ont aussi lancé dans l'ensemble du réseau le concours Apprenti-génie qui consiste à créer un avion de papier capable de franchir la plus longue distance possible. En 2007, plus de 6500 élèves ont réalisé le défi en classe et se sont présentés au concours national.

Pour les plus vieux du primaire, les Expo-sciences sont aussi une porte d'entrée importante au monde scientifique. Bien qu'on ne puisse dénombrer avec précision la proportion d'élèves provenant du primaire, les Expo-sciences (version nordique du «Science-fest» américain) attirent plus de 15000 jeunes chaque année. Ce n'est pas tout: divers programmes de la Société pour la promotion de la science et la technologie (SPST) viennent appuyer les enseignants. Plus de 20000 élèves participent aux 1000 conférences données par des bénévoles dans les écoles du Québec dans le cadre de l'activité Les innovateurs à l'école. Et il y a aussi les visites scolaires dans des établissements de diffusion scientifique: Centre des sciences, Jardin botanique, Biodôme, etc.

Cet enthousiasme parascolaire signifie-t-il que le ministère de l'Éducation a relégué aux organismes sans but lucratif une partie de ses responsabilités en matière d'enseignement des sciences? «C'est clair que le ministère de l'Éducation ne se préoccupe pas suffisamment de culture scientifique», dit Félix Maltais, dont les multiples initiatives en milieu scolaire n'ont presque jamais été financées par le MELS. De plus, il déplore que les budgets que les écoles consacrent aux activités parascolaires sont les premiers affectés quand il faut sabrer quelque part. L'une des activités de son organisme, le Défi des classes débrouillardes, a été touchée par le boycott syndical des activités culturelles, en 2005.

Le directeur général de la SPST, Patrick Beaudin, sait quoi répondre à ceux qui croient que les enfants du primaire n'ont peut-être pas la capacité cognitive pour assimiler des concepts scientifiques. «Les sciences à l'école primaire, c'est une absolue nécessité. Un bon chercheur, c'est quelqu'un qui sait poser les bonnes questions. Or, les enfants du primaire ont mille et une questions: pourquoi la pluie tombe du ciel? Pourquoi ai-je mal à la tête? Pourquoi les étoiles brillent?»

Même s'il déplore le sous-financement des organismes de soutien à l'enseignement des sciences, il ne jette pas la pierre au nouveau programme pédagogique. «Je crois que l'idée de décloisonner les sciences pour permettre aux enseignants d'aborder différentes notions dans l'ensemble des autres matières est une approche intéressante. Mais les enseignants ont-ils reçu une formation suffisante pour le faire? Actuellement, la réponse est non.»

La directrice du réseau des CDLS, Carole Charlebois, estime que les organismes comme le sien prennent la place qu'ils doivent prendre dans le réseau scolaire. «Il est certainement regrettable de voir que le ministère de l'Éducation ne reconnaisse pas les organismes engagés dans la promotion de la culture scientifique à l'école. Mais que la science soit surtout associée aux loisirs, comme dans le cadre des expositions scientifiques, c'est une très bonne chose.»

À titre de secrétaire générale d'une association internationale regroupant 75 organismes de promotion de la culture scientifique, Mme Charlebois est en mesure de constater que le Québec est un modèle en matière de promotion de la culture scientifique. «En sortant la science des écoles, on l'associe plus volontiers au plaisir qu'au devoir. Et ça, ce n'est pas mauvais du tout.»

Le cafouillage du secondaire

Qu'en est-il de l'école secondaire? En vérité, le Renouveau pédagogique affirme clairement l'importance de la science et de la technologie en leur donnant, associées aux mathématiques, le titre de «domaines d'apprentissage». Il n'y a que cinq de ces domaines, les autres étant les langues, l'univers social (l'histoire), les arts et le développement personnel.

Au premier cycle du secondaire, par exemple (première et deuxième années), les jeunes reçoivent 200 heures de cours de science et technologie, autant que pour les arts. Par comparaison, le français en obtient 400, l'anglais langue seconde 300, tout comme la mathématique. Les arts, la géographie et l'histoire et éducation à la citoyenneté suivent (150 heures), et l'éducation physique et à la santé, ainsi que l'éthique et la culture religieuse (100 heures) ferment la marche.

Au secondaire, le problème de la formation du personnel persiste puisque la majorité des enseignants ne possèdent pas les bases requises pour un enseignement de qualité. «Ce sont souvent à des enseignants spécialisés dans d'autres matières comme l'histoire ou les arts qu'on demande d'enseigner la science et la technologie», mentionne le doyen de la Faculté des sciences de l'éducation de l'Université de Montréal, Michel Laurier. C'est au moment de combler les besoins dans les écoles que les directeurs affectent des enseignants disponibles pour cet enseignement particulier. Ils obtiennent alors du ministère ce qu'on appelle une «tolérance».

Le problème est si criant que le MELS a lancé aux universités québécoises un appel à la formation d'un plus grand nombre d'enseignants spécialisés. Les universités ont répondu en créant un Baccalauréat en enseignement des sciences. Or, les étudiants semblent bouder ce cheminement. «Dans l'ensemble des facultés d'éducation du Québec, les contingents ne sont pas comblés, explique Jesus Vasquez-Abad, chercheur en didactique des sciences à l'Université de Montréal. Ici, on ne compte que 18 à 20 étudiants alors que nous pouvons en accueillir 40. La proportion est la même à l'UQAM.»

Selon ses évaluations, il n'y aurait que quelque 200 nouveaux enseignants en sciences au secondaire sur un total de 26000[10]. C'est très peu. L'UQAM et l'Université de Montréal ont créé en 2008 un programme conjoint de formation continue visant les enseignants

10. Le nombre d'enseignants en sciences est impossible à calculer actuellement, compte tenu du fait que le MELS les présente dans le même groupe que les enseignants en mathématiques. Le chiffre total de ce groupe atteint 6474 (dont 1167 à temps partiel). Environ 40 % seraient affectés aux sciences, d'où le résultat présenté ici.

en exercice. Ceux-ci sont invités à suivre des cours de maîtrise à temps partiel afin de se donner les moyens de bien enseigner leur matière. Il est encore tôt pour dire si ce nouveau programme apportera une solution durable à ce problème, mais ce ne sera probablement pas suffisant pour combler une lacune observée depuis longtemps dans le système scolaire.

La science par plaisir

Comparés à ceux des autres pays, les élèves québécois possèdent-ils une bonne culture scientifique? Il semble bien que oui, si on en croit le dernier résultat du Programme international pour le suivi des acquis des élèves (PISA), en 2006. Le Québec s'y est classé au cinquième rang mondial, derrière la Finlande, l'Alberta, Hong-Kong et la Colombie-Britannique[11].

Quelques mots sur ce test qui rejoint plus d'un quart de millions d'élèves provenant de 57 pays. Lancé en 2000 par l'Organisation de coopération et de développement économique (OCDE), le PISA veut fournir au milieu de la recherche en éducation, aux responsables de l'élaboration des politiques ainsi qu'à tous les acteurs concernés, des données complètes et comparables à l'échelle internationale dans trois domaines: la compréhension de l'écrit, la culture mathématique et la culture scientifique. On a choisi des jeunes de 15 ans parce qu'à cet âge, les jeunes achèvent leur scolarité obligatoire.

Trois sous-questions étaient explorées dans le test sur la culture scientifique: identifier des questions d'ordre scientifique; expliquer des questions d'ordre scientifique et utiliser des faits scientifiques. Les élèves du Québec se sont avérés particulièrement forts dans l'utilisation des faits scientifiques.

Certes réjouissants, ces résultats laissent perplexes quand on sait qu'au Canada, ce sont les élèves du Québec qui bénéficient de moins de temps consacré aux sciences. Quand on les compare au reste du Canada, le Québec arrive au dernier rang des provinces,

11. La note globale du Québec est de 531 points. La Finlande a obtenu 563 points; Hong-Kong 550; l'Alberta 542. La moyenne canadienne se situe à 533. L'Ontario et le Japon ont obtenu la même note que le Québec. La moyenne de l'OCDE est de 500.

avec seulement 39% d'élèves qui consacrent 4 heures et plus par semaine à l'apprentissage des sciences. La moyenne canadienne se chiffre à 57%. L'Alberta (69%), la Nouvelle-Écosse (66%), l'Ontario et Terre-Neuve-Labrador (63%) et la Saskatchewan (54%) font bien meilleures figures que le Québec. «Même avec moins d'heures consacrées à l'apprentissage des sciences, les élèves québécois demeurent très performants dans leurs études, ils sont intéressés aux sciences, ils sont conscients de l'importance des sciences pour la société. Ils participent à des loisirs scientifiques. De plus, il n'y a pas de différence significative entre le rendement des filles et des garçons», mentionnait en février 2008 Liette Fiset, analyste à la Direction des politiques et analyses, à la Table de concertation des organismes majeurs.

Avec si peu d'heures consacrées à l'enseignement des sciences, comment expliquer cette brillante performance au test international? Pour Pierre St-Germain, président de la Fédération autonome du collégial, l'ancien régime pédagogique faisait une part belle aux sciences. Et les résultats obtenus au PISA de 2006 sont ceux de l'ancien régime[12]. Il craint donc d'assister à un déclin des résultats lorsque le Renouveau pédagogique aura étendu son implantation à l'ensemble du niveau secondaire.

«Les principes du nouveau programme sont beaux... sur le papier, estime Marcel Thouin. On décloisonne les sciences pour qu'elles soient abordées dans diverses matières. Au secondaire, c'est la grande innovation de la réforme: des sciences décloisonnées. On veut faire de la physique, de la chimie, de la biologie et de la technologie à tous les niveaux, de la 1re à la 4e année. Et l'approche par compétences ouvre la voie à davantage d'expérimentation, ce qui est plus efficace que l'enseignement magistral. Malheureusement, le personnel – surtout les enseignants formés avant 2000 – n'a pas les connaissances requises pour en assurer le succès. On n'a pas mis l'accent sur la formation continue, qui aurait permis aux enseignants en exercice de s'adapter. Et les manuels disponibles sont très décevants. Mais le principal problème, c'est qu'aucune

12. Rappelons que le Renouveau pédagogique n'a été appliqué au secondaire qu'à partir de 2005.

vérification n'est faite des apprentissages des élèves du primaire. On fait passer des examens de français et de mathématiques, mais pas de sciences et de technologies. Rien n'oblige donc les enseignants à suivre le programme[13]. »

Une autre hypothèse expliquerait la bonne performance des jeunes québécois aux concours internationaux. C'est que le système parallèle d'enseignement des sciences, qu'on doit à toute une armée de Débrouillards, d'Innovateurs et de Neurones atomiques, aura permis d'insuffler aux jeunes l'élan qu'il faut pour qu'ils développent et cultivent leur intérêt pour les sciences.

Ils ont appris les sciences, en somme, en tournant le dos à l'école.

Bibliographie[14]

Aubé, Michel et Diane Rochon. 2005. Un programme de science et de technologie axé sur le rehaussement culturel. *Vie pédagogique* 135, nº avril-mai : 17-19.

Barney, Darin. 2006. Technologie d'enseignement ou enseigner la technologie. *Spectre* 36, nº 1, oct.-nov. : 28-30.

Bastien, Roger *et al.*, 2002. Sciences et technologie : cycle des approfondissements. *Centre national de documentation pédagogique.*

Bégin, Rachel. 2009. *Science et enseignement des sciences : un plaidoyer.* Montréal, Liber.

Bracey, Gerald W. 1988. Science Without Sense. *Phi Delta Kappan* 69, nº 9 : 685-689.

Chàvez, Milagros. 2008. L'éthique de l'environnement comme dimension transversale de l'éducation en sciences et en technologies : un modèle éducationnel. *Spectre* 38, nº 1, oct.-nov. : 39-41.

Cloutier, Richard et Valérie Marchand. 2009. L'enseignant en science et technologie, un acteur-clé pour favoriser des apprentissages auprès des élèves au sujet des infections transmissibles sexuellement et par le sang. *Spectre* 38, nº 3, fév.-mars : 22-24.

13. Mathieu-Robert Sauvé, «Ne tuez pas Einstein!», *L'actualité*, 17 août 2009.
14. Établie par Anne-Marie Lamond, École de bibliothéconomie et sciences de l'information de l'Université de Montréal.

Desfossés, Pablo *et al.*, 2008. Intégrer la conservation du patrimoine naturel et le développement durable en éducation. *Spectre* 38, nº 1, oct.-nov. : 16-18.

Fensham, Peter J. 2008. *Science education policy-making : eleven emerging issues* : UNESCO.

Gagnon, Nathalie. 1999. Enfant et mère nature. *Quatre-temps* 23, nº 2, juin : 13-15.

Hapgood, Susanna et Annemarie Sullivan Palincsar. 2006. Where Literacy and Science Intersect. *Educational Leadership* 64, nº 4 : 56-60.

Haufler, Christopher H. et Marshall Sundberg. 2009. Symposium on scientific literacy : Introduction. *American Journal of Botany* 96, nº 10 : 1751-1752.

Hayden, Gary. 2005. Relating science to society. *Times Educational Supplement*, nº 4618 : 24-25.

Holbrook, J. et M. Rannikmae. 2007. The nature of science education for enhancing scientific literacy. *International Journal of Science Education* 29, nº 11 : 1347-1362.

Holtz, K.D. et E.C. Twombly. 2007. A preliminary evaluation of the effects of a science education curriculum on changes in knowledge of drugs in youth. *Journal of Drug Education* 37, nº 3 : 317-333.

Hulse, R.A. 2006. Preparing K-12 students for the new interdisciplinary world of science. *Experimental Biology & Medicine* 231, nº 7 : 1192-1196.

Lavigne, G. L. *et al.*, 2007. A motivational model of persistence in science education : A self-determination theory approach. *European Journal of Psychology of Education* 22, nº 3 : 351-369.

Maheux, Gisèle et Suzanne Tamsé. 2008. Formation initiale et conscience citoyenne. *Vie pédagogique* 146, mars : 52-56.

Maltais, Martin. 2005. Pour un approfondissement de la réflexion sur la science par les acteurs de l'éducation. *Spectre* 34, nº 4, avril-mai : 18-20.

Marks, S.K. *et al.*, 2002. Creating curricular change: needs in grades 8-12 earth science. *Geomorphology* 47, nº 2-4: 261-273.

Morin, Émilie et Annie Savard. 2005. Amorce d'une pensée critique au primaire. *Vie pédagogique,* supplément électronique: 1-8.

Osborne, Jonathan. 2002. Science Without Literacy: A ship without a sail? *Cambridge Journal of Education* 32, nº 2: 203-218.

Otis, Joanne. 2006. Science et technologie: un environnement propice à l'éducation à la santé. *Spectre* 36, nº 1, oct.-nov.: 12-16.

Pichette, Michel. 2003. Les jeunes, la culture scientifique et les médias: le rôle nécessaire de l'école. *Spectre* 32, nº 3, février-mars: 17-20.

Pinsonnault, Denis. 2002. Approche par compétences et culture disciplinaire dans le domaine des sciences, des mathématiques et de la technologie. *Vie pédagogique*, nº 123, avril-mai: 34-37.

Riopel, Martin *et al.*, 2007. *Regards multiples sur l'enseignement des sciences.* Québec, Éditions MultiMondes.

Roth, Wolff-Michael et Stuart Lee. 2004. Science Education as/for Participation in the Community. *Science Education* 88, nº 2: 263-291.

Samson, Ghislain *et al.*, 2008. Enseigner la science et la technologie pour éduquer à l'environnement: une question d'interdisciplinarité pour favoriser le transfert des apprentissages. *Spectre* 38, nº 1, oct.-nov.: 19-22.

Sauvé, Lucie. 2006. Environnement et consommation: stimuler l'engagement et construire l'espoir. *Spectre* 36, nº 1, oct.-nov: 8-11.

Sciences, Académie des. 2004. Avis sur l'enseignement scientifique et technique dans la scolarité obligatoire: école et collège: 18 p.

Scotchmoor, J. *et al.*, 2009. Improving the public understanding of science: new initiatives. *American Journal of Botany* 96, nº 10: 1760-1766.

Trefil, James et Wanda O'Brien-Trefil. 2009. The Science Students Need to Know. *Educational Leadership* 67, nº 1: 28-33.

Weld, Jeffrey D. 1991. Scientific Literacy. *Educational Leadership*: 83-84.

Réforme des programmes : les sciences, des disciplines perdantes

Rachel Bégin

La réforme de l'éducation continue de susciter les critiques et les questionnements qui alimentent l'incertitude. Où va l'éducation au Québec? À l'évidence, le virage qui place les compétences au premier plan fait dévier les finalités de l'école. Le ministère de l'Éducation, du Loisir et du Sport (MELS) adopte, consciemment ou non, des visées utilitaristes. Selon toute apparence, les instances gouvernementales ont prêté une oreille attentive aux aspirations du monde économique, préférant la connaissance d'usage immédiat à la connaissance générale, la résolution de questions ponctuelles à la capacité d'analyse et d'abstraction.

De nombreuses voix s'élèvent pour remettre en question les principes éducatifs qui sont liés aux programmes actuels, dont celle de Bernard Schiele :

> […] le principe intégrateur de la réforme repose sur la substitution de la cohérence de la tâche à celle du savoir. Ainsi, sans en avoir l'air, et surtout sans débat public, au nom du principe de modernité, la réforme entreprend un réalignement de l'école en rupture avec l'attitude héritée des Lumières[1].

1. Bernard Schiele, « Cinq remarques sur le rôle pédagogique de l'exposition scientifique et un commentaire sur la réforme de l'éducation » dans Louise Julien et Lise Santerre (dir.) *L'apport de la culture à l'éducation : actes du Colloque Recherche-culture et communications, tenu dans le cadre du Congrès de l'ACFAS, à l'Université de Montréal, les 16 et 17 mai 2000*, Montréal, Éditions Nouvelles, 2001, p. 155.

Il semble que nous ayons été floués dans toute cette affaire. N'oublions pas que cette réforme fut enclenchée suite aux États généraux de l'éducation, une vaste consultation publique. Les responsables de la mise en place de la réforme ne semblent pas avoir compris les conclusions de ces États généraux. En effet, les éléments fondamentaux de la réforme vont à l'encontre des désirs exprimés par la population.

Toutes les disciplines scolaires sont affectées par ce vent de changement qui balaie tout sur son passage. Les disciplines scientifiques sont durement touchées. En effet, les contenus des programmes «réformés» ou «rénovés» n'adoptent plus les savoirs et les notions comme points de départ. Les compétences constituent le cadre des programmes et se traduisent en problèmes ponctuels à résoudre. De plus, la technologie est maintenant liée aux cours de sciences, ce qui entraîne une réduction du temps réservé aux sciences comme telles. Il reste sans doute peu de chances que les jeunes sortent de l'école avec une compréhension de la science, un élément important de la problématique relative à ces matières scolaires.

Pour justifier cette sévère appréciation, ce texte offre une analyse critique des principes de base qui sous-tendent les programmes et en particulier ceux de sciences, ou plutôt désormais de *science et technologie*. Mais d'abord, il nous faut retracer les événements qui ont précédé les changements et relever les incohérences entre les vœux de la population et les orientations prises au MELS. Ces incohérences se révèlent à travers la structure même des programmes d'études. En ce qui concerne les sciences, la situation déjà préoccupante risque encore de dégénérer, comme en témoigne l'analyse de quelques éléments tirés des programmes. En dernier lieu, ce texte traite de l'éducation scientifique, proposant des avenues d'action et de réflexion pour la repenser en fonction du meilleur intérêt des élèves et sortir cette éducation de l'impasse où elle s'enfonce.

Des États généraux de l'éducation aux bureaux du Ministère

La première étape des changements majeurs que nous avons connus fut un processus de consultation à travers tout le Québec. Il s'agit des États généraux sur l'éducation, qui se déroulèrent au Québec de 1995 à 1998. Il était alors temps de repenser l'école pour répondre aux besoins des élèves qui bâtissent leur avenir en ce vingt-et-unième siècle. La Commission des États généraux sur l'éducation tient alors des audiences dans toutes les régions, au cours desquelles les citoyens viennent exprimer leurs attentes vis-à-vis de l'école. Les personnes et des groupes représentatifs ont présenté près de deux mille mémoires et présentations verbales[2].

Le rapport issu de ces consultations propose dix chantiers prioritaires pour rénover l'éducation au Québec. Deux d'entre eux nous interpellent spécialement. L'un concerne les curriculums du primaire et du secondaire. Il s'agit d'en rehausser le contenu culturel. Les membres de la Commission précisent au sujet de ce chantier:

> [...] il ne s'agit pas de prôner le retour à des apprentissages de base qui se réduiraient à savoir lire, écrire et compter. Il s'agit plutôt de mettre les élèves en contact avec la diversité du patrimoine constitué dans les divers domaines de la culture, avec les productions humaines les plus significatives et de leur permettre, par un approfondissement progressif des disciplines enseignées, d'acquérir les connaissances de ces différents champs, d'établir des liens entre elles, de développer les habiletés et les attitudes nécessaires à la compréhension et à la maîtrise de leur environnement de même qu'à leur insertion dans un monde en changement en tant qu'êtres créatifs et citoyennes et citoyens responsables[3].

---

2. Commission des États généraux de l'Éducation, *Les États généraux sur l'éducation, 1995-1996. Exposé de la situation*, Ministère de l'Éducation, État du Québec, 1996, en ligne : <http://www.mels.gouv.ca/etat-gen/raptfinal/fin.htm>.
3. Commission des États généraux de l'Éducation, *Les États généraux sur l'éducation, 1995-1996, Rénover l'éducation : dix chantiers prioritaires, Rapport final de la commission des États Généraux sur l'éducation*, Ministère de l'Éducation, État du Québec, 1996, en ligne: <http://www.mels.gouv.qc.ca/etat-gen/rapfinal/s2-3.htm.>

Un autre chantier prioritaire mentionné par le rapport sur les États généraux consiste à «remettre l'école sur ses rails en matière d'égalité des chances[4]».

Dans le rapport de la Commission des États généraux, on retrouve le bilan des attentes de la population. Poursuivant la démarche, un groupe de travail sur la réforme du curriculum entreprend de désigner les changements qui doivent être apportés au curriculum du primaire et du secondaire. Présidé par Paul Inchauspé, ce groupe formule des recommandations détaillées sur les programmes d'études. Ainsi, le groupe de travail rassemble tout le curriculum dans quatre grands domaines: les langues, le champ de la technologie, de la science et des mathématiques, l'univers social, les arts et le développement personnel. Les membres du groupe Inchauspé insistent sur les compétences transversales, qui doivent s'insérer au sein de toutes les matières. De plus, ils proposent des éléments pour aider à définir le contenu des compétences transversales. Il s'agit de l'éducation à la consommation, à la santé, à l'environnement, à la citoyenneté ainsi qu'aux médias, auxquelles s'ajoutent l'information scolaire et professionnelle, l'éducation interculturelle, la compréhension internationale et les nouvelles technologies de l'information et des communications. Par ailleurs, le comité ne se prononce pas sur la pertinence de formuler les programmes en termes de compétences.

En réponse, le Ministère s'engage au-delà des souhaits des deux groupes. Le développement de compétences devient la base générale des programmes et les domaines généraux de formation prennent une place importante pour introduire les activités d'apprentissage. De plus, le MELS prend l'initiative de décloisonner les matières, en plus de promouvoir la pédagogie de projets et le socioconstructivisme. Ce faisant, les fondements des programmes se trouvent bouleversés au point de vue des finalités de l'éducation, de la structure de la connaissance et de la pratique pédagogique. Nous n'en demandions pas tant.

4. *Ibid.*, section 2.1.

Fondements et structuration des programmes d'études

L'expression «fondements des programmes» désigne les principes sur lesquels on s'appuie pour élaborer ces programmes. Ils répondent en quelque sorte aux questions **pourquoi** (quel but poursuivons-nous avec les élèves, quelles valeurs sous-tendent l'action éducative?) **quoi** (sur quelles bases sont définis les contenus d'apprentissage?) et **comment** (quelles méthodes pédagogiques sont recommandées?).

Dans chacun des récents programmes d'études du ministère de l'Éducation, du Loisir et du Sport (MELS) du Québec, les éléments principaux respectent un même ordre de présentation. Les *domaines généraux de formation (DGF)* ouvrent la marche, suivis des *compétences transversales* et enfin des *domaines d'apprentissage*, à l'intérieur desquels on retrouve les compétences *disciplinaires*[5] et les notions qui y sont reliées. Donc, les compétences précèdent partout les notions comme telles, qui se retrouvent donc en toute dernière place dans les textes. Cet état de fait laisse présumer que les disciplines scolaires – mathématiques, français, géographie, etc. *ne sont plus à la base des programmes.* À vrai dire, les textes de présentation le spécifient:

> Avec les compétences transversales, les domaines généraux de formation représentent en quelque sorte la trame du Programme de formation et favorisent la cohérence et la complémentarité des interventions éducatives. Les questions complexes qu'ils soulèvent font appel à des savoirs d'origines diverses et à la construction de réponses de nature multidisciplinaire[6].

Décrivons brièvement ces éléments de structure des programmes.

Les domaines généraux de formation (DGF) ont pour objectif, selon le programme du premier cycle du secondaire, «d'amener les élèves à établir des liens entre leurs apprentissages scolaires,

5. Par exemple, dans le programme de premier cycle du secondaire, le domaine des langues comporte des compétences comme *Lire et apprécier des textes variés, écrire des textes variés et communiquer oralement selon des modalités variées* (p. 82); dans le domaine mathématique, *Déployer un raisonnement mathématique* (p. 235), et dans le domaine de l'univers social et de la géographie, Lire l'organisation d'un territoire (p. 298). *Programme de formation de l'école québécoise, enseignement secondaire, premier cycle*, ministère de l'Éducation, du Loisir et du Sport, État du Québec, 2004.

6. *Ibid.*, p. 25.

les situations de leur vie quotidienne et les phénomènes sociaux actuels[7] ». Autrement dit, on veut les outiller pour faire des choix personnels dans leur vie présente et future. Ce sont :

– Santé et bien-être.
– Vivre-ensemble et citoyenneté.
– Médias : prendre conscience de l'influence des médias.
– Environnement et consommation.
– Orientation et entrepreneuriat.

Les membres du comité Inchauspé ont déterminé les domaines généraux de formation. Par la suite, dans les bureaux du Ministère, ils furent reformulés et leur importance, amplifiée. En clair, cela veut dire que les activités des élèves en classe auront l'un de ces sujets comme point de départ. Par exemple, les élèves pourront composer des menus pour une fête en tenant compte du prix et de la valeur nutritive des aliments ainsi que des conséquences environnementales liées à la présentation des aliments ou boissons (assiettes durables ou jetables, de carton ou de plastique). Ce faisant, ils *peuvent* acquérir des notions de mathématique, de lecture, d'écriture, de nutrition, etc. Cette activité touche trois DGF : la *consommation*, *l'environnement* et la *santé*. Ils devront consulter les prix, faire un budget, décider s'ils vont servir les mets dans des assiettes et verres jetables ou non, etc.

Les fameuses compétences transversales, elles, doivent s'appliquer à travers les divers domaines d'apprentissage. Ces compétences comprennent :

– ...ordre intellectuel : exploiter l'information ; résoudre des problèmes ; exercer son jugement critique ; mettre en œuvre sa pensée créatrice.
– ordre méthodologique : se donner des méthodes de travail efficaces ; exploiter les technologies de l'information et de la communication ;
– ordre personnel et social : structurer son identité ; coopérer ;
– l'ordre de la communication : communiquer de façon appropriée[8].

7. *Ibid.*, p. 21.
8. *Ibid.*, p. 33.

Enfin, et soulignons-le, *en dernier lieu,* les programmes abordent les domaines d'apprentissage[9], où sont regroupées les matières scolaires qui nous sont familières. L'école que nous avons connue se concentrait sur l'acquisition de connaissances tirées de *disciplines* comme les mathématiques, l'histoire, la géographie ou la biologie, des savoirs organisés autour de notions fondamentales. Sur cette structure de départ, il était possible de greffer plus tard des notions supplémentaires ou de proposer aux élèves des projets intégrant plusieurs notions. Aujourd'hui, les noms des programmes ont changé. Il y a le *domaine de la mathématique*, celui de *la science et technologie,* le *domaine des langues* et le *domaine de l'univers social,* entre autres. Les matières scolaires deviennent plus floues. Par exemple, le programme du premier cycle du secondaire énonce: «L'univers social est constitué de l'ensemble des réalités associées aux sociétés humaines et des représentations que les êtres humains s'en construisent[10].» Cet univers comprend un programme de *géographie* et un autre nommé *histoire et éducation à la citoyenneté.*

Des programmes qui inversent la démarche logique

De prime abord, il y a quelque chose d'étrange à l'idée que des enfants développent des compétences à travers tous ces éléments pêle-mêle que sont les problématiques (DGF) à résoudre, des compétences transversales à développer, des ressources à mobiliser ainsi que des connaissances à trouver (ou à construire!). Revenons à l'exemple de la fête cité plus haut. On a l'impression que le programme procède à l'envers[11]. *Et c'est bien le cas.* Les élèves doivent d'abord comprendre le problème en le décortiquant, chercher eux-mêmes les informations nécessaires à travers un labyrinthe de ressources didactiques ou informatiques puis synthétiser leurs acquis. Pour

9. La confusion est facile entre les domaines généraux de formation (DGF) et les domaines d'apprentissage.

10. *Programme de formation de l'école québécoise, enseignement secondaire, op. cit*, p. 295.

11. Il y a déjà plusieurs années, la fameuse *méthode globale* pour la lecture, consistait à montrer aux enfants un mot ou une phrase avant de lui en enseigner la lettre et la syllabe. Le résultat fut lamentable. Un grand nombre d'élèves ont connu des difficultés avec le français et en ressentent encore les séquelles. Voilà qu'on adopte une méthode similaire – aller du complexe au simple – mais cette fois, appliquée à toutes les matières.

finir, on fait le pari que toutes les informations juxtaposées vont constituer un tout intelligible et cohérent.

Y a-t-il des inconvénients à l'application systématique de cette manière de fonctionner? Nous en voyons trois. Premièrement, avec une question pointue, on risque d'effleurer la connaissance plutôt que de l'approfondir. Dans un tel contexte, il est difficile de prévoir quelles notions précises les élèves pourront acquérir. De plus, si l'activité se déroule en équipe, il y a fort à parier que seul celui qui est le plus habile en mathématiques effectuera les calculs. Deuxièmement, certains projets mobilisent beaucoup de temps et d'énergie de la part des élèves mais aussi des enseignants. Troisièmement, il apparaît préférable d'aborder la matière comme un tout structuré plutôt que par bribes plus ou moins décousues.

Voyons à présent d'un œil critique quelques aspects de la nouvelle perspective sur l'éducation et examinons de plus près les trois composantes fondamentales des programmes d'études dans l'ordre de leur présentation. On a donc adopté comme point de départ les DGF, c'est-à-dire l'éducation aux *médias*, à la *santé*, à la *consommation* et à *l'environnement*, à la *citoyenneté* et enfin à *l'orientation et l'entrepreneuriat*. En particulier, l'une des exagérations du MELS réside dans son zèle pour l'entrepreneuriat *dans tous les programmes* dès l'école primaire. On éprouve la troublante impression que l'économie vient s'immiscer dans toute la vie scolaire.

Par ailleurs, ces éléments présentent un potentiel de subjectivité car ce sont des lieux où les doctrines et idéologies peuvent se glisser dans les sujets abordés en classe. Nous avons tous connu des enseignants qui parlaient de leur sujet favori pendant des heures. Ils exprimaient leur opinion personnelle de façon biaisée. Ainsi, en ce qui concerne la santé et le bien-être, «Amener l'élève à se responsabiliser dans l'adoption de saines habitudes de vie sur le plan de la santé, de la sécurité et de la sexualité» peut sembler neutre, mais rien n'est moins sûr car on entre déjà dans les perceptions subjectives de chacun. Qu'est-ce qu'une saine habitude de vie? Tel enseignant va-t-il prêcher le végétalisme[12], un autre démoniser le four à micro-ondes et les champs magnétiques[13] et un troisième présenter l'homosexualité comme une tare? Un devoir de réserve s'impose en ce qui concerne l'influence à exercer sur les choix personnels des élèves. La très grande majorité des enseignants se tiennent à l'écart de telles exagérations, mais ils ne sont ni nutritionnistes, ni ingénieurs en électricité, ni sexologues.

Quant aux problématiques complexes, souvent les données sont incomplètes ou difficiles à vérifier par les profanes. En effet, enseignants et élèves sont presque aussi novices les uns que les autres quand les problématiques font appel à des connaissances hyperspécialisées. Tout compte fait, les disciplines formelles sont des bases plus solides pour encadrer les contenus d'apprentissage. Il ne s'agit pas ici d'esquiver le recours à l'actualité ou à tout ce qui peut intéresser les jeunes car les domaines généraux de formation peuvent jouer le rôle de fenêtres sur la vie. Cependant, il ne nous semble pas pertinent d'en faire les points de départ des activités scolaires.

Venons-en maintenant aux *compétences transversales*, encore aujourd'hui sujettes à de multiples discussions, interprétations et, admettons-le, incompréhensions. Pourtant, rien de nouveau sous le soleil de ce côté. Comme le texte du programme le mentionne:

> Si la notion de compétence transversale peut sembler relativement nouvelle, elle rejoint pourtant les pratiques de nombreux enseignants et intervenants soucieux de solliciter les ressources cognitives, sociales et affectives de leurs élèves pour permettre une meilleure intégration des savoirs[14].

---

12. Si les végétariens évitent la viande et souvent le poisson, le régime végétalien élimine tout produit d'origine animale (comme les œufs ou le fromage), ce qui entraîne des difficultés pour équilibrer l'alimentation quotidienne. Il existe des risques réels de malnutrition, surtout chez les jeunes en croissance.
13. Pour les «dangers» des fours à micro-ondes, voir Santé Canada: Questions de sécurité concernant le rayonnement des fours à micro-ondes, <http://www.hc-sc.gc.ca/hl-vs/iyh-vsv/prod/micro-fra.php>. Voir aussi Bureau de la protection contre les rayonnements des produits cliniques et de consommation: <http://www.hc-sc.gc.ca/ahc-asc/branch-dirgen/hecs-dgsesc/psp-psp/ccrpb-bpcrpcc-fra.php>. Pour les champs magnétiques, voir Jérôme Bellayer, Denis Biette, Denis Caroti et Henri Broch: «À propos des méta-analyses "leucémies infantiles et champs magnétiques"», Laboratoire de Zététique, Université Nice Sophia-Antipolis, <http://www.unice.fr/zetetique/articles/JBDBDCHB_Meta_analyses.pdf>.
14. *Programme de formation de l'école québécoise, enseignement secondaire, op. cit.*, p. 35.

Malheureusement, ce nouveau vocabulaire, imprécis, obscurcit les termes plutôt que de les clarifier. Pour les formuler plus clairement, on dispose pourtant de références. Citons, entre autres, la taxonomie de Benjamin Bloom[15]. On aurait pu aussi consulter la *typologie transdisciplinaire des démarches intellectuelles.* Donc, cette « nouveauté » n'est pas nouvelle, car les préoccupations qu'expriment les compétences transversales sont en quelque sorte inhérentes à l'apprentissage. La formulation est seulement plus embrouillée.

En matière de structure de chacun des programmes d'études, on est sous le règne du développement de compétences. Par exemple, le programme du premier cycle du secondaire s'articule autour de trois compétences à développer. En voici une, tirée du programme de premier cycle du secondaire[16] :

> **Compétence 1 – Chercher des réponses ou des solutions à des problèmes d'ordre scientifique ou technologique**
>
> Cette compétence se subdivise en trois composantes :
>
> - Cerner un problème.
> - Choisir un scénario d'investigation ou de conception.
> - Concrétiser sa démarche.
> - Analyser ses résultats ou sa conclusion.

---

15. Une taxonomie est une classification d'objectifs d'habiletés qui touchent la plupart des dimensions qu'un être humain peut développer : cognitif, affectif, moral, physique, etc. Par exemple, celle de Bloom pour le domaine cognitif propose des opérations intellectuelles graduées qui comprennent la connaissance (terminologie et faits particuliers), la compréhension, l'analyse, la synthèse et l'évaluation. Le MELS semble postuler que les taxonomies relèvent du behaviorisme, rejeté lui aussi par les chantres de la nouvelle éducation. Nous croyons au contraire que ces taxonomies sont utiles et qu'il faut bien mal les connaître pour les taxer de behavioristes. Ce sont des outils fonctionnels pour graduer les apprentissages de manière adaptée au niveau cognitif des élèves. Voir aussi Renald Legendre, *Dictionnaire actuel de l'éducation*, Montréal, Guérin, 1993, p. 1279 et s. ainsi que ce document du Centre d'études et de formation en enseignement supérieur, Université de Montréal, à la page suivante : <http://74.125.93.132/search?q=cache:GOpukyZV3yMJ:www.cefes.umontreal.ca/ressources/guides/Plan_cours/doc/taxonomie>.
16. *Programme de formation de l'école québécoise, enseignement secondaire, op. cit.*, p. 277.

Voici comment on entend développer ces compétences chez les enfants:

> **Travailler au développement de la compétence** de votre enfant suppose une transformation de l'enseignement. Il ne s'agit plus de lui transmettre uniquement les contenus des programmes pendant qu'il écoute passivement la leçon. Il s'agit plutôt de le placer dans différents contextes qui stimulent son intelligence (réalisation de projets, ateliers de travail, problèmes et énigmes à résoudre) et qui l'amènent à s'approprier et à organiser une multitude de connaissances[17].

Comme cadres de référence sur l'apprentissage, constructivisme et socioconstructivisme dominent. L'élève comprend une notion en comparant ses idées, ses observations ou ses opinions avec celles de ses camarades et de l'enseignant. C'est ainsi qu'on définit l'idée de *coconstruire* un savoir. Ainsi, le socioconstructivisme insiste sur les interactions entre les pairs, leur prêtant un rôle déterminant dans cette construction de connaissances. Le Ministère donne un exemple: «En se questionnant et en partageant leurs expériences et leurs connaissances, les élèves de la classe ont élaboré une définition commune du mot presqu'île[18]». Il ne reste plus qu'à espérer que la définition coïncidera avec celle de la classe d'à côté... mais aussi avec celle de l'école située dans une autre région. Il est difficile d'admettre que les informations glanées çà et là par les élèves puissent remplacer la synthèse d'un enseignant rompu aux arcanes d'un champ du savoir. Dans ce contexte, le statut de la connaissance devient précaire. On frôle le relativisme. Dès lors, est-il vrai que les connaissances gardent toute leur pertinence? Et... quel type de connaissances?

Pour le fonctionnement en classe, les programmes recommandent la pédagogie de projet. À vrai dire, la façon dont ces derniers sont structurés – domaines généraux de formation comme points de départ, compétences comme structure et relégation des notions en tout dernier lieu – donne très peu de marge de manœuvre dans

---

17. *Programme de formation de l'école québécoise, le premier cycle du primaire, information aux parents.* Ministère de l'Éducation, du Loisir et du Sport 01-00781, État du Québec, p. 11. <http://www.mels.gouv.qc.ca/REFORME/publications/1ercycle.pdf>. Les caractères gras sont dans le texte.
18. Voir le document «Jongler avec le vocabulaire de la réforme», consulté le 8 février 2005 dans le site du MELS. http://www.mels.gouv.qc.ca/. Ce document ne s'y trouve plus.

le choix des méthodes pédagogiques. Là où le bât blesse c'est que la pédagogie de projet augmente l'écart entre les élèves forts et faibles[19]. En effet, pour mener leur projet à bien, les élèves forts disposent déjà d'un bagage plus vaste de connaissances. Ils ont ainsi une longueur d'avance par rapport aux élèves plus faibles, qui souvent manquent des préalables nécessaires. Pour les acquérir par eux-mêmes, ils perdent un temps précieux qui ne peut être consacré à de nouveaux apprentissages. De plus, dans le travail d'équipe, les élèves «faibles» sauront-ils «mobiliser les ressources» autant que les «forts»? Les premiers seront-ils assignés au bricolage pendant que les autres se chargent de la recherche en approfondissant les notions? C'est ainsi que l'écart continue à se creuser entre les privilégiés et ceux qui sont laissés pour compte.

L'interdisciplinarité

Les promoteurs de la réforme s'appuient sur l'argument que la réalité est interdisciplinaire pour instituer le décloisonnement des disciplines. À la lecture du programme de sciences et technologie, par exemple, il est troublant de constater que la liste des concepts, donc des notions à acquérir, ne spécifie même pas la discipline scientifique d'où elles viennent[20]. Pourtant, les disciplines scientifiques (de même que les autres disciplines scolaires) présentent des avantages certains. Tout d'abord, elles ont une valeur intrinsèque en tant que composantes de la culture que l'école a la charge de transmettre aux élèves. De plus, elles présentent une rigueur, une logique et une cohérence entre les notions principales, secondaires, etc., ce qui entraîne la possibilité pour l'enseignant et pour l'élève de se situer dans la structure du savoir. En comparaison, le découpage des connaissances à travers des situations ouvertes d'apprentissage présente des difficultés non négligeables. Tout d'abord, un tel fonctionnement nécessite une somme considérable de temps et

19. Clermont Gauthier, M'Hammed Mellouki, Denis Simard, Steve Bissonnette et Mario Richard «Quelles sont les pédagogies efficaces? Un état de la recherche», *Les Cahiers du débat.* Fondation pour l'innovation politique, Janvier 2005. <http://www.fondapol.org/politique/.societe/publication/titre/quelles_sont_les_pedagogies_efficaces_un_etat_de_la_recherche.html>.

20. *Programme de formation de l'école québécoise, enseignement secondaire, op. cit.*, p. 283-289.

d'énergie car l'enseignant doit organiser minutieusement les projets pour intégrer des notions importantes[21]. De plus, la logistique s'avère beaucoup plus complexe lorsqu'il s'agit de suivre plusieurs projets différents. Pour qui connaît la réalité des classes actuelles, on doute que cette tâche soit possible. Enfin, l'évaluation s'avère extrêmement malaisée, surtout depuis le retour du bulletin chiffré[22].

L'interdisciplinarité exige beaucoup des enseignants. Par exemple, dans le programme de premier cycle du secondaire, c'est en mathématiques qu'on suggère une activité en relation à l'environnement. Est-ce à dire que l'on demande à l'enseignant de mathématiques d'être versé aussi en écologie ? Cette option apparaît trop hasardeuse et prématurée pour en faire la règle générale dans le cadre de l'école primaire ou secondaire.

Une dérive par rapport aux vœux de la population

Rappelons que les États généraux de l'éducation étaient chargés de recueillir les désirs de la population en matière d'éducation et de synthétiser le tout dans un rapport. Par la suite, le groupe de travail sur la réforme du curriculum avait pour tâche de prendre en compte les conclusions des États généraux pour formuler des recommandations sur les programmes. Or, ces derniers, sortis des bureaux du MELS, s'écartent de la voie tracée par les deux groupes, dont ni l'un ni l'autre n'ont recommandé de baser les programmes d'études sur des compétences. En revanche, l'une des premières remarques du rapport sur le curriculum se lit: « *Les savoirs occupent désormais une place inégalée dans l'organisation matérielle et sociale de nos collectivités*[23]. »

Une autre divergence évidente concerne l'accessibilité du texte. « Le programme doit être rédigé dans un langage qui évite le jargon technique et l'utilisation de termes empruntés à des écoles pédagogiques ou didactiques », précise le rapport du groupe de

---

21. *Ibid.*, p. 239.
22. Prédisons de bonnes affaires pour les professionnels des soins capillaires, car il y a de quoi s'arracher les cheveux!
23. *Réaffirmer l'école, Prendre le virage du succès. Rapport du Groupe de travail sur la réforme du curriculum*, ministère de l'Éducation, État du Québec, 1997, <http://www.mels.gouv.qc.ca/REFORME/curricu/ecole.htm>, p. 14.

travail sur les programmes[24]. Sur ce point, on peut dire que le MELS ne mérite pas la note de passage car la confusion règne. Encore peu d'intervenants sont à l'aise avec le vocabulaire de la réforme.

Parmi les trois grandes finalités mentionnées dans les documents officiels, soit l'instruction, la socialisation, la qualification[25], on a la nette impression qu'il y a eu inversion des priorités lorsqu'est venu le moment de planifier les opérations. L'idée de *qualifier*, incarnée par la notion de compétence qui domine et structure les programmes, apparaît prioritaire, laissant à la remorque les nécessités d'instruire et de socialiser. Pourtant, le mot *instruire* représente encore un défi important si on rappelle que 800000 Québécois sont analphabètes et que 49% ont des difficultés de lecture[26]. De plus, seulement 63% des garçons et 71% des filles ont de bonnes capacités de lecture chez les jeunes entre 16 et 24 ans, donc à peine sortis du secondaire[27]. Par conséquent, l'école aura déjà droit à tous nos éloges si elle réussit à contrer l'analphabétisme. Pourquoi tabler sur la complexité dès l'école primaire alors que le premier défi est d'apprendre à lire aux enfants?

Concernant l'organisation des connaissances, le rapport issu des consultations plaide pour une culture générale solide.

> [...] il faudra veiller à leur faire maîtriser **les notions de base** auxquelles viendront se greffer ultérieurement d'autres connaissances. [...] Les disciplines pouvant servir de fondements à une culture générale solide se sont trouvées singulièrement réduites et saupoudrées en dose homéopathique tout le long du parcours scolaire. [...] ...considérer les possibilités d'interdisciplinarité et d'intégration des matières[28]...

L'incohérence est évidente. Le rapport souhaite un raffermissement des disciplines. En réponse, les rédacteurs des programmes ont noyé les notions de base et les disciplines scolaires à travers les énoncés de compétences et de domaines généraux de formation. Ils ne semblent pas avoir saisi la nuance entre *considérer les possibilités*

24. *Ibid.*, p. 81.
25. *Les États généraux sur l'éducation 1995-1996, Rapport final, op.cit.*, section 1.
26. Fondation pour l'alphabétisation http://www.fqa.qc.ca/soussection1.php?section=1_4_2, consulté le 22 mars 2008.
27. Agence de la Santé et des services sociaux de Montréal, État du Québec, <http://www.santepub-mtl.qc.ca/Priorites/jeunes/alphabet.html>. Consulté le 25 mars 2008.
28. *Les États généraux sur l'éducation 1995-1996, Rapport final, op. cit.*, section 2.6.

d'interdisciplinarité et décloisonner les disciplines comme on l'a fait dans plus d'un domaine.

Par ailleurs, l'une des préoccupations des États généraux affiche une couleur humaniste. On affirme «[...] la réforme de l'éducation que nous entreprenons doit contribuer à l'émergence d'une société plus juste, plus démocratique et plus égalitaire et nous permettre de progresser vers une plus grande humanité[29]». Peut-on parler de progresser vers une plus grande humanité tout en aiguillant les efforts de l'école vers la satisfaction des besoins des employeurs, comme si la personne n'était qu'un rouage de l'activité économique?

Le premier chantier prioritaire identifié dans le rapport des États généraux concerne l'égalité des chances pour tous les élèves.

> [...] remettre l'école sur ses rails en matière d'égalité des chances... [...] ... il nous paraît urgent de **mettre un frein à la stratification des écoles primaires et secondaires en s'assurant que la priorité soit accordée à la relance des écoles publiques et que celles-ci demeurent ouvertes à tous les élèves**. [...] nous croyons qu'il faut s'attaquer avec plus de vigueur à cet aspect inachevé de la réforme **en intensifiant les efforts en vue d'accroître l'accès du plus grand nombre à l'éducation, en particulier des groupes défavorisés, et plus encore, en vue de passer de l'accès au succès**. [...] Pour atteindre les objectifs fixés, nous devons renouer avec nos idéaux et nos pratiques démocratiques, qui ont subi, en particulier depuis une dizaine d'années, une certaine désaffection. Chez plus d'un, la préoccupation à l'égard de l'égalité des chances a cédé le pas à l'élitisme et ce, dès l'école primaire...[30]

En comparant ces desiderata aux textes ministériels, il est difficile d'admettre qu'on veuille réorienter l'école vers une meilleure égalité des chances de réussite. Deux indicateurs permettent de remettre en cause les intentions des décideurs du MELS à ce sujet. Tout d'abord, il existe encore de nombreuses d'écoles publiques qui sélectionnent leurs élèves, maintenant la stratification[31] des écoles. Ensuite, il semble que cet appel n'ait pas été entendu car on choisit de promouvoir la pédagogie de projet. Rappelons que cette manière

29. *Ibid.*, section 1. Les caractères gras sont dans le texte.
30. *Ibid.*, section 2.1. Les caractères gras sont dans le texte.
31. Ce que le rapport appelle *stratification* signifie que les écoles spécialisées (sport, arts, international) sélectionnent les élèves performants, laissant les classes «ordinaires» avec un surplus d'élèves faibles ou en difficulté.

de faire tend à nuire aux élèves faibles ou en difficulté et à augmenter l'écart avec les plus performants, sans avantage supplémentaire pour ces derniers.

La puissante vague qui porte les compétences et l'employabilité semble avoir balayé au Québec les requêtes des participants aux États généraux de «garder à l'esprit que la poursuite de la formation commune doit s'étendre jusqu'à la fin de la 3e secondaire et qu'une diversification est souhaitée pour la suite[32]». Certes la formation commune s'étend bien jusqu'à la troisième année du secondaire mais l'un des DGF, mis en exergue dans les programmes, suggère de s'inspirer de l'orientation et l'entrepreneuriat, et ce, dès le début de la scolarité. Il n'y a qu'un pas à franchir pour conclure à l'engagement permanent du MELS à l'égard de l'occupation professionnelle. C'est pourquoi il semble qu'on n'ait pas respecté les désirs des États généraux pour qui «il faut **résister à la tentation d'accoler trop étroitement l'offre de formation à la demande** de main-d'œuvre[33]».

L'école, si elle veut répondre avec célérité aux demandes des employeurs, investira massivement dans la formation professionnelle dont seule une partie de la population scolaire peut profiter. De plus, organiser cette formation exige du temps et l'étudiant pourrait fort bien se retrouver en difficulté si les entreprises n'ont plus besoin de travailleurs de sa spécialité au moment où il décroche un diplôme déjà dépassé. Il se retrouve, selon les mots de Régine Pierre,

> avec pour seul bagage l'un de ces petits métiers à hauts risques de délocalisation sous les pressions de la mondialisation. À plus ou moins court terme ces jeunes seront condamnés au chômage et au bien-être social. Avec les trous béants qu'ils auront nécessairement dans leur formation de base, la plupart seront probablement analphabètes fonctionnels, leurs chances de se réorienter sur le marché du travail vers des formations plus qualifiantes seront à peu près nulles[34].

Dès lors, le cycle peut recommencer: l'école organise – et finance – une nouvelle formation où les étudiants peuvent s'inscrire de nouveau et ainsi de suite. Cependant, si l'étudiant a choisi trop tôt

32. *Les États généraux sur l'éducation 1995-1996, Rapport final, op. cit.*, section 2.3.
33. *Ibid.*, section 2.4.
34. Régine Pierre, «Pour la réussite de nos enfants: stoppons la réforme», Cyberpresse, lundi 4 décembre 2006.

son orientation vers un métier donné, il peut être obligé de retourner chercher des prérequis nécessaires dans la nouvelle formation, injustement pénalisé par la situation. Si l'école engloutit des sommes considérables dans la formation professionnelle, elle prive la formation générale de ressources vitales.

Le courant d'économisme s'accorde bien avec l'importance accordée aux compétences, l'éducation à la consommation, à l'orientation professionnelle et à l'entreprenariat ainsi que la place réservée aux TIC dans les priorités scolaires. Qualifier sans instruire, nous semble-t-il, c'est produire une génération d'exécutants, sort auquel échappera une «élite» déjà nantie. Nous sommes loin de l'égalité des chances. La réflexion à ce propos suscite une certaine perplexité. Si le monde de l'éducation ne résiste pas à l'économisme ambiant, qui résistera? Il est invraisemblable de réduire la personne à un rôle de rouage économique bien huilé.

Le cas des programmes de science et technologie

Les programmes en vigueur, à l'école primaire comme au secondaire, se nomment aujourd'hui *Science et technologie*, un programme unique qui entremêle des notions de biologie, d'astronomie, de physique, etc. À ce mélange s'ajoute la technologie qui se limitait auparavant à la troisième année du secondaire ou encore à un cours à option en cinquième secondaire. La technologie devient donc une partie inhérente aux programmes de tout le primaire et tout le secondaire.

En lieu et place de savoirs structurés, c'est bien sûr le développement de compétences qui prédomine. Par exemple, en sciences et technologie, le programme du premier cycle du secondaire s'articule sur trois compétences disciplinaires:

1. Chercher des réponses ou des solutions à des problèmes d'ordre scientifique ou technologique.
2. Mettre à profit ses connaissances scientifiques et technologiques.
3. Communiquer à l'aide des langages utilisés en science et technologie[35].

35. *Programme de formation de l'école québécoise, enseignement secondaire, op. cit.*, p. 275 à 280.

Nous avons cherché en vain le cadre théorique d'où viendraient ces compétences. Il semble qu'elles aient été définies soit arbitrairement, soit en fonction de bases dont nous n'avons trouvé nulle trace en sciences ou en pédagogie des sciences. Compétences, domaines de formation (DGF) et disciplines scientifiques entremêlées, semblent de médiocres supports pour initier de jeunes élèves au vaste monde de la science.

Comme les autres programmes, celui de science et technologie propose de partir des DGF et des compétences pour créer des *situations d'apprentissage* que l'on veut interdisciplinaires. Autrement dit, le contenu scientifique serait enseigné au gré des projets des élèves. Or, le savoir scientifique, très structuré, s'accommode mal d'une structure d'enseignement aussi floue.

Les programmes d'études consacrés aux sciences et à la technologie bouleversent les bases du savoir. Depuis une centaine d'années, les sciences étaient présentes à l'école sous forme de disciplines – chimie, physique, biologie, – dont les concepts fondamentaux structuraient les matières scolaires. Selon George DeBoer, «toute une gamme de disciplines se sont différenciées au cours des siècles pour devenir des ensembles remarquablement logiques et cohérents [...] Les disciplines scientifiques sont ce que l'humain a conçu de mieux comme instruments intellectuels pour décrire le monde naturel et pour permettre de saisir l'organisation de la science[36]». Ainsi, des centaines de scientifiques ont défini des concepts de base et précisé leurs relations avec des concepts secondaires. Les disciplines scientifiques ont développé un vocabulaire commun qui permet aux chercheurs de tous les pays du monde de communiquer entre eux avec précision. Pourtant, quand est venu le temps de concevoir des programmes de sciences, le MELS a préféré reléguer toute cette richesse cognitive aux oubliettes.

À l'évidence, les enseignants auront fort à faire pour que leurs élèves parviennent à développer une perception cohérente des sciences. Reprenons le programme du premier cycle du secondaire.

36. «The logically organized disciplines are the product of the most thorough and rigorous examination of the physical world that humans have been able to create». George E. DeBoer, *A History of Ideas in Science Education: Implications for Practice*, New York, Teachers College Press, 1991, p. 237-238.

Les élèves seront confrontés à des problématiques liées à l'univers matériel, l'univers vivant, à la Terre et l'Espace ainsi qu'à l'univers technologique. Pour finir, certains concepts sont prescrits dont la gravitation, la structure de la Terre, l'atome, l'espèce et l'habitat, l'évolution et l'adaptation. Parmi les concepts prescrits on remarque la *niche écologique, la population, l'habitat,* mais on ne trouve aucune mention de l'*écosystème*, un concept central de la discipline. Qui plus est, le mot *écologie,* discipline scientifique à l'origine de tous ces concepts, n'y apparaît pas. Bref, en réalisant les projets liés aux situations d'apprentissage, les notions scientifiques explorées par les élèves risquent fort d'être « flottantes », non reliées au cadre logique et cohérent d'une discipline scientifique formelle. Prenons pour exemple la seule situation d'apprentissage proposée dans le programme de sciences du premier cycle du secondaire. Malgré l'affirmation répétée que les connaissances sont toujours au menu, on fragmente un savoir bien structuré pour le ressortir sous d'autres formes moins organisées.

La conservation des aliments

> Les aliments que nous retrouvons dans notre assiette sont nécessaires à notre survie. Cependant, ils ne se conservent pas éternellement. [...] Pour ralentir le plus possible cette décomposition, les humains ont découvert diverses méthodes de conservation des aliments. [...] C'est par l'étude des causes de la décomposition des aliments ainsi que des besoins des humains qu'il est possible de déterminer le ou les moyens les plus appropriés pour conserver un aliment. Choisir une méthode ou construire un dispositif pour conserver le plus longtemps possible un aliment[37].

Les élèves confrontés à cette question peuvent adopter plusieurs stratégies. La plus plausible est qu'ils se fixeront d'emblée sur la fabrication ou l'utilisation d'un appareil, investissant le maximum de temps dans le bricolage. Vu le peu de précision de la demande, ils négligeront les notions de contamination par les bactéries ou par les mouches, de stérilisation ou de multiplication des bactéries, plus ou moins rapide en relation avec la température ambiante. Ils savent que le froid préserve l'aliment, mais sauront-ils pourquoi ?

37. *Programme de formation de l'école québécoise, enseignement secondaire, op. cit.*, p. 274.

Les notions seront-elles effleurées ou approfondies ? Comment les élèves mettront-ils en ordre les informations dans leur tête? Visiblement, on présume que toutes les petites données juxtaposées vont constituer un tout intelligible et cohérent. De telles questions surgissent à la lecture de cet exemple, mais la plus cruciale est celle-ci : Combien de situations d'apprentissage successives faudra-t-il mettre en place pour que les élèves acquièrent les notions de base les plus indispensables en sciences ?

Dans un tel contexte, la culture scientifique se résumerait à une sélection éclectique mais aléatoire de sujets destinés à retenir l'attention des jeunes, négligeant leurs intérêts à long terme. En somme, on est tenté de conclure que faire fi des disciplines scientifiques, c'est cautionner la superficialité d'un savoir. L'élève qui sort de l'école secondaire risque de ne pas distinguer la chimie de la physique. Il ne saura pas au juste ce que sont la biologie ou l'écologie et quel est l'objet de leurs recherches. Qui plus est, il confondra peut-être environnement, écologie et développement durable.

Science et socioconstructivisme

L'option socioconstructiviste qui domine les programmes n'est pas nouvelle en didactique des sciences. Avant même l'avènement des programmes actuels, constructivisme et socioconstructivisme exerçaient une forte influence dans le milieu de la didactique des sciences et semaient déjà la confusion chez les futurs enseignants, avec les répercussions que l'on imagine chez les élèves[38]. À vrai dire, une chapelle règne au Québec dans ce domaine, tournée vers le relativisme, le constructivisme et le socioconstructivisme, thèses contestées par des scientifiques chevronnés dont Mario Bunge, chercheur scientifique et philosophe des sciences de l'Université

38. Enrôlé dans ce courant, un doctorant en éducation chargé de cours, enseignant à des étudiants en formation, me disait « j'enseigne l'épistémologie ». Oubliant le rationalisme, le réalisme, l'empirisme, le positivisme... et le relativisme, il enseignait, disait-il, le socioconstructivisme (peut-on professer le socioconstructivisme ? Les étudiants ne devraient-ils pas le construire... ou mieux, le *coconstruire*?).

McGill et reconnu mondialement[39], ainsi que Jean Bricmont et Alan Sokal[40]. Malheureusement, la dominance d'une chapelle dans un champ de recherche rejette les idées divergentes, ce qui rétrécit le débat et nuit à l'avancement des connaissances. Ne dit-on pas que du choc des idées jaillit la lumière?

Mario Bunge pratique la science et la philosophie des sciences depuis près de soixante ans. Son œuvre comprend une description complète et détaillée sur ce que sont la connaissance et la méthode scientifiques[41]. Pour lui, le savoir scientifique est *réaliste*, c'est-à-dire qu'il existe une réalité que nous pouvons connaître et décrire. La science cherche à comprendre et à expliquer le monde en élaborant des modèles puis en les validant par l'expérimentation et la confrontation avec la réalité.

Si les programmes affirment que l'élève construit son savoir grâce aux interactions sociales avec ses pairs et l'enseignant, certains philosophes et sociologues des sciences soutiennent que la recherche scientifique acquiert son savoir de la même façon. Ces derniers soutiennent que ce savoir s'élabore par consensus social plutôt qu'en s'appuyant sur des preuves expérimentales, ce qui attribue au savoir scientifique une connotation relativiste.

On retrouve parmi les écrits des textes contestables pour qui connaît un tant soit peu la réalité de la recherche scientifique et technologique. Ainsi, les futurs enseignants peuvent lire des assertions comme celles-ci dans les textes d'auteurs qui exercent une influence notable sur la didactique des sciences au Québec:

---

39. Mario Bunge, «A Critical Examination of the New Sociology of Science», *Philosophy of the social science*, vol. 21, nº 4, 1991, p. 524-559 et vol. 22, nº 1, p. 549-550.
40. Voir Alan Sokal et Jean Bricmont, *Impostures intellectuelles*, Paris, Odile Jacob, octobre 1997 et Alan Sokal, *Beyond the Hoax*, Oxford, Oxford University Press, 2008.
41. Entre autres, il est l'auteur d'un traité de philosophie en huit tomes sur la science, *Treatise on basic philosophy*, Dordrecht, D. Reidel Pub. Co, c1974-1989. Voir aussi Mario Bunge, *Épistémologie*, Paris, Maloine, 1983. Pour un résumé de sa vision de la science, voir Rachel Bégin, *Fondements épistémologiques de l'éducation scientifique: implications pédagogiques du réalisme critique de Mario Bunge*, Mémoire de maîtrise. Université du Québec à Montréal, 1995, chap. 3.

> Pour le constructivisme, les modèles sont contingents, c'est-à-dire qu'ils procèdent d'une logique non nécessaire. Il n'y a donc pas une seule vérité scientifique nécessaire. [...] [P]our le constructivisme classique, ce sont les individus qui construisent leurs connaissances et les critères de viabilité de celles-ci[42].
>
> C'est toujours la promotion des conceptions scientifiques qui prime au détriment de celles que se sont construites les apprenants. Les premières auraient pour elles les vertus que leur ont attribuées les philosophes et que les scientifiques ont repris (sic) à leur compte, à savoir la cohérence, l'objectivité, l'universalité et, surtout, une valeur prédictive. Quant aux secondes, qui ne jouiraient pas de la même immunité épistémologique, elles seraient incomplètes, voire erronées, superficielles, locales et inaptes à toute modélisation féconde, étant donné leur contamination par le savoir commun[43].

Donc, pour les constructivistes, on ne peut connaître vraiment la réalité mais seulement la représentation que nous en construisons. Cette «réalité» est le fruit de perceptions personnelles et il n'y a pas de réalité absolue. Ces allégations, pas entièrement fausses mais fort ambiguës, soumises à l'attention des étudiants qui se destinent à enseigner les sciences, ne leur rendent guère service. On ne sait plus si les auteurs parlent de la façon dont s'élabore la connaissance scientifique ou de la construction de la connaissance par les élèves. Ce que les étudiants en retiennent, c'est que rien n'est sûr en sciences... que les avancées de la science se font uniquement parce que le chercheur réussit à convaincre la communauté scientifique. Mais pourquoi réussit-il? C'est là où les réponses diffèrent. Pour eux, c'est affaire de persuasion, pour nous, affaire de preuve, un mot bien mal reçu chez les constructivistes. Pour eux, les preuves sont relatives. Pour nous, les preuves sont temporaires mais cumulatives et perfectibles. Avec la décantation du temps, le savoir devient de plus en plus fiable.

---

42. Gérard Fourez, Véronique Engelbert-Lecompte et Philippe Mathy, *Nos savoirs sur nos savoirs: un lexique d'épistémologie pour l'enseignement*, Bruxelles, de Boeck Université, 1997, p. 13.

43. Jacques Désautels, Marie Larochelle, 1993. «Constructivistes au travail: propos d'étudiants et d'étudiantes sur leur idée de science», *ASTER, n° 17. Modèles pédagogiques 2*, 1993, disponible en ligne: <http://documents.irevues.inist.fr/handle/2042/8527>.

Au surplus, les débats sur de telles abstractions devraient être limités aux spéculations des philosophes et non au milieu de l'éducation car elles ne contribuent nullement à clarifier la perception de la science. On reproche à l'enseignement des sciences, à juste titre, son dogmatisme, mais l'excès inverse ne vaut guère mieux. Une meilleure tactique serait d'expliciter le caractère cumulatif et évolutif du savoir scientifique, sans oublier de mentionner que bien des découvertes scientifiques ont vu le jour à la suite d'un cheminement parsemé d'erreurs, de difficultés et d'incertitude. L'histoire des sciences est un bon atout pour ce faire. Par exemple, les travaux de Newton ont mis en évidence la gravitation mais les calculs d'Einstein, sans invalider ceux de son prédécesseur, ont montré les limites de la première théorie. Il existe de nombreux exemples qui font comprendre l'évolution de la recherche sans discréditer le savoir scientifique, le plus fiable dont l'humanité dispose.

Bref, on sème la confusion chez les étudiants qui se destinent à l'enseignement. Or, un problème peu évoqué mais récurrent en matière d'éducation scientifique est que les élèves, beaucoup d'enseignants et le grand public n'ont pas une juste perception de ce qu'est la science[44]. Avec le renouveau pédagogique, la situation ne semble guère en voie de s'améliorer. De plus, il est pour le moins étrange que la connaissance scientifique soit présentée sous un jour si peu favorable par ceux-là mêmes qui forment les enseignants de sciences[45].

Cependant, la réalité, qu'on la nie ou pas, nous rattrape sans coup férir. En situation réelle, les principes fondamentaux de la réforme sont difficiles d'application, comme le constatent les formateurs du MELS au contact avec les enseignants. De plus, les contestations des enseignants surgissent, en sciences comme dans les autres domaines d'apprentissage. Les promoteurs du programme, ébranlés, reculent

---

44. R. Bégin, *Fondements épistémologiques de l'éducation scientifique, op. cit.* Texte approuvé par Monsieur Bunge.
45. J'ai même entendu de mes propres oreilles un professeur de didactique des sciences québécois affirmer sans honte qu'à la suite de son cours, très critique vis-à-vis du savoir scientifique, l'un des étudiants avait renoncé à enseigner les sciences, un résultat pour le moins discutable.

sur les positions constructivistes, les réduisant comme peau de chagrin. Ce faisant, ils dépouillent les termes de leur signification première. Ainsi, il semble qu'on réduise le socioconstructivisme à la promotion du travail d'équipe et la construction de savoir à l'effort pour relier les notions et les concepts entre eux. C'est ainsi que le sens des mots a glissé. Pleins de bonne volonté, des milliers de praticiens de l'éducation avaient tenté de percer le mystère d'un nouveau vocabulaire, mais voilà que ce dernier devient semblable à une coquille vide. On revient donc vers le réalisme en persistant à le nommer constructivisme, créant l'imbroglio. De ce fait, la confusion pourrait tarder à se dissiper.

Par ailleurs, en matière de technologie, lorsque les étudiants ou les enseignants appliquent leur raisonnement logique, ils prennent conscience d'une contradiction flagrante dans les programmes. La démarche de technologie se détaille comme suit: L'élève doit «cerner le problème, choisir un scénario d'investigation ou de conception, concrétiser sa démarche, fabriquer le prototype, procéder à la mise à l'essai, faire un retour sur sa démarche ou proposer des améliorations[46]». S'il est une discipline *réaliste* c'est sans conteste la technologie car on est contraint de se plier à une réalité extérieure, celle-là même que négligent les constructivistes. Si le prototype ne fonctionne pas, c'est la réalité qui a le dernier mot et l'apprenti doit retourner à ses essais... Qui dit mieux comme paradoxe logique? En définitive, on ne peut associer le socioconstructivisme à la science et encore moins à la technologie.

Revenant à la problématique de l'enseignement des sciences[47], qui fait état de l'incompréhension générale sur ce que sont au juste la science et les scientifiques, nous pouvons prédire que la situation ne risque pas de s'améliorer. En effet, le mélange des notions et des disciplines – surtout au secondaire –, l'idée que la science est un construit qui ne repose pas vraiment sur la réalité, de même que le rôle réduit de l'enseignant quant à la validation de la connaissance,

---

46. *Programme de formation de l'école québécoise, enseignement secondaire, op. cit.*, p. 17.
47. Rachel Bégin, *Science et enseignement des sciences, un plaidoyer*, Montréal, Liber, 2009, p. 10 et p. 16-17. Voir aussi R. Bégin, *Fondements de l'éducation scientifique, op. cit.*, chapitre 1.

nous incitent à douter fortement que les élèves puissent avoir une bonne idée de ce qu'est l'univers du savoir scientifique et technologique. L'enseignant lui-même est dans la confusion.

Le courant dominant se fait sentir aussi dans les sciences. Il y a fort à parier que ces dernières ressortiront perdantes car on ajoute la technologie sans vraiment compenser cet ajout dans la grille horaire. Par ailleurs, on a l'impression que la technologie devient le pivot de l'activité scolaire dans ce domaine. Il existe une tentation bien réelle de tout subordonner aux projets de technologie qui peuvent devenir de simples bricolages. De plus, la production d'un objet prend beaucoup de temps pour résoudre un problème spécifique qui souvent se réfère à des notions pointues plutôt que fondamentales. Dans le programme de premier cycle du secondaire, on retrouve à travers les concepts prescrits le cahier des charges, le schéma de principe, le schéma de construction et la gamme de fabrication[48], tous étroitement liés à la production. C'est l'idée de connaissances dont l'application pratique doit être immédiate. Il serait plus fructueux, nous semble-t-il, d'approfondir les notions de base en sciences.

Par ailleurs, il nous faut considérer le fait que la technologie, avec son aspect concret, peut rallier des élèves rebutés par l'abstraction qu'ils associent aux sciences. Là comme ailleurs, il s'agit de répartir judicieusement le précieux temps de classe en fonction du meilleur intérêt des élèves.

Des bases pour l'éducation scientifique, au-delà des modes et des réformes

Un modèle pour l'éducation scientifique doit transcender les modes pédagogiques et les réformes[49]. Il doit énoncer les finalités de cet enseignement – *sans les limiter aux impératifs économiques* – et définir des orientations générales en conséquence. Au fond, il s'agit de prendre en compte les besoins de la personne qui doit évoluer dans notre monde où science et technologie sont omniprésentes et portent des enjeux considérables.

48. *Programme de formation de l'école québécoise, enseignement secondaire, op. cit*, p. 34.
49. R. Bégin, *Science et enseignement des sciences, un plaidoyer, op. cit.*, chapitre 3.

Un tel modèle d'éducation scientifique doit se baser sur ce que sont les connaissances scientifiques. Pour planifier l'éducation en matière de sciences, il faut bien connaître cette dernière. En effet, comment enseigner des connaissances dont on ne connaît pas la structure et les concepts clés? Le réalisme critique de Mario Bunge décrit ce qu'est au juste ce type de connaissance, comment la science s'édifie à travers les siècles et comment elle interagit avec toutes les autres activités humaines[50].

Il convient de repenser la formation des enseignants dans une perspective de moyen et long terme et non de les préparer seulement pour les programmes en vigueur au moment de leur formation. L'enseignant voit se succéder plusieurs changements au cours de sa carrière, aussi doit-il apprendre à *enseigner les sciences* et non pas à enseigner tel ou tel programme d'études.

Les sciences naturelles présentent un remarquable exemple de cohérence cognitive. À travers la physique, la chimie et la biologie, entre autres, elles étudient la *matière* et la notion d'*émergence,* selon laquelle de petites unités de matière, (particules subatomiques, atomes, molécules) se combinent pour former des entités plus complexes, qui vont de la cellule aux organismes et aux écosystèmes. Les sciences parviennent à décrire et à expliquer beaucoup de phénomènes naturels. Elles sont une clé incomparable pour la compréhension du monde.

Le curriculum en matière scientifique devrait se baser sur les disciplines, approfondir les notions clés de chacune ainsi qu'initier les élèves à la terminologie spécifique à ces savoirs. Nous suggérons que les programmes scolaires s'appuient explicitement sur cet aménagement logique du savoir scientifique. Quant à la technologie, ses activités pourraient être en étroite relation avec les notions scientifiques à l'étude.

Malgré le contexte actuel, l'enseignant de sciences qui souhaite renforcer la cohérence de son enseignement dispose de deux stratégies possibles. La première est de situer les notions à l'étude à l'intérieur de systèmes plus vastes. Comment le concept enseigné est-il relié à l'ensemble de la discipline scientifique? Aux concepts clés de cette discipline? Comment s'inscrit-il dans le vaste schéma

50. *Ibid.*, chapitre 2.

qui, reliant la matière à l'émergence, montre comment les unités de matière se rassemblent pour constituer des objets ou des êtres plus complexes, comme les cellules dans un tissu et un organe, les organes dans le corps, etc.[51]. La seconde stratégie serait de choisir en priorité les concepts les plus généraux possible. En effet, ces derniers sont plus polyvalents que des notions pointues.

Pour mieux comprendre, cherchons un exemple du côté de la biologie. Comparons la situation des élèves confrontés à la problématique de la résistance des bactéries aux antibiotiques. Ils apprendront que la surconsommation d'antibiotiques et le comportement négligent de ceux qui arrêtent le traitement suscitent un phénomène de résistance aux antibiotiques. Cette information est anecdotique car l'élève apprend que ce phénomène existe, mais en comprendra-t-il le mécanisme?

Par contre, l'enseignement de la biologie de manière plus classique aborderait la théorie de l'évolution, une clé plus générale du savoir. À partir du principe de la sélection naturelle – les individus dotés de caractéristiques génétiques favorables à la survie se reproduisent et transmettent ces gènes à leur descendance –, les élèves seraient à même de comprendre non seulement les mécanismes d'acquisition de la résistance aux antibiotiques[52] mais aussi de transférer le raisonnement aux questions d'adaptation des espèces animales et végétales à un milieu naturel, de biodiversité, de sélection des caractères génétiques chez les animaux et la création de lignées de plantes agricoles performantes ou résistantes aux insectes, etc. Le principe scientifique a la caractéristique d'englober un grand nombre de cas particuliers. C'est pourquoi, selon nous, il vaut mieux aborder en premier le principe général et l'illustrer avec plusieurs exemples. Il en résulte une meilleure vision de ce qu'est le savoir scientifique, non pas fragmenté mais hautement cohérent et structuré.

---

51. *Ibid.*, p. 74.
52. Souvent, la personne qui prend des antibiotiques se sent mieux après deux ou trois jours. Jugeant le traitement désormais inutile et cédant à la croyance populaire qu'il vaut mieux prendre le moins de médicaments possible, la personne est tentée de les abandonner. Comme l'explique la théorie de l'évolution, les quelques bactéries qui ont résisté au traitement, génétiquement mieux armées pour résister aux antibiotiques, forment une nouvelle souche de bactéries plus difficiles à éradiquer. C'est ainsi que se répand la résistance aux antibiotiques.

Conclusion

Heureusement, pourrait-on dire, les côtés les plus aberrants de la réforme ne sont pas appliqués à la lettre tellement ils vont à l'encontre des convictions éducatives des enseignants, entravent leur pratique quotidienne et heurtent le bon sens. Malgré cela, de précieuses énergies sont gaspillées pour satisfaire les injonctions du Ministère. On est loin des classes idéales que semblent imaginer les concepteurs des programmes. Pour qui **connaît un tant soit peu la réalité de l'école**, il tombe sous le sens qu'acquérir un savoir, pour bien des jeunes élèves, est déjà un exploit qui mobilise leur énergie et celle de l'enseignant. Le construire... relève de l'utopie. On pourrait se demander, à l'instar de cette enseignante rencontrée lors d'un congrès d'enseignants de sciences qui s'interrogeait sur son travail: «Qui, en fin de compte, se soucie des élèves?»

Les pages qui précèdent peuvent paraître sévères à l'endroit des idéateurs et concepteurs des programmes de formation. Pourtant, que faire quand les fondations sont chancelantes et que les orientations prises semblent trahir les vœux de la population? Selon toute apparence, le programme de formation révèle un manque de profondeur dans la réflexion. Il est temps d'examiner la situation avec un recul réflexif et de décider si nous voulons vraiment que le navire continue dans la même direction. Quel genre de société future voulons-nous vraiment? S'est-on laissé emporter par le courant sans trop réfléchir? Si oui, il est grand temps de faire un effort de lucidité.

Les phénomènes de société ont des sources multiples et entremêlées. Qu'on le veuille ou non et même qu'on en soit conscients ou non, le système d'éducation reflète un peu la société dans laquelle il baigne. Nous sommes à la fois acteurs de la course à la consommation et soumis à son influence. Est-ce une bonne raison pour se plier aux caprices et fluctuations de notre société quand vient le temps de repenser l'école et l'avenir de nos enfants?

En conclusion, il nous faut retourner sur le chantier pédagogique, car si l'on s'accorde à reconnaître qu'un renouveau s'avérait indispensable, l'unanimité n'est pas au rendez-vous en ce qui a trait à la manière. Pour une grande partie de la population et des intervenants concernés, un certain nombre des prémisses adoptées jusqu'ici n'obtiennent même pas la note de passage.

L'estime déçoit

François Charbonneau

Comment un être raisonnable peut-il être valorisé par quelque chose qu'il n'a pas obtenu par ses propres efforts?

Mary Wollstonecraft, *Défense des droits de la femme*, 1792

S'il y avait qu'une seule notion à retenir pour comprendre les profondes transformations du monde de l'éducation dans les cinquante dernières années, non seulement au Québec, mais partout en Occident, il faudrait impérativement retenir celle d'« estime de soi ». L'idée qu'il existe une corrélation entre l'estime que porte un individu à sa propre personne et la réussite scolaire est devenue en très peu d'années un lieu commun que personne n'oserait contester. Cette idée va tellement de soi qu'elle a depuis longtemps quitté l'univers restreint de la psychologie[1] pour devenir une certitude partagée par tous. Tant les professeurs, les parents que les élèves eux-mêmes sont convaincus que l'estime de soi a une incidence sur la réussite scolaire et qu'inversement, la réussite scolaire améliore l'estime de soi. Cette certitude se résume ainsi : un enfant s'estimant capable de réussir à l'école aura plus de succès qu'un enfant qui se déprécie ou qui ne se croit pas capable de réussir les tâches demandées.

C'est dans les années 1960 que le concept d'estime de soi a été largement popularisé aux États-Unis, sans que l'on puisse nécessairement attribuer la paternité à un auteur ou à une école de pensée[2]. Les principaux tests de l'estime de soi ont été développés

1. Une recension de l'ensemble des études en psychologie montre que l'estime de soi figure parmi les trois variables psychologiques les plus étudiées. On recensait en 2001 plus de 18000 études consacrées à l'estime de soi. Voir F. Rodewalt, et M.W. Tragakis, « Self-esteem and self-regulation : Toward optimal studies of self-esteem », *Psychological Inquiry*, vol. 14, nº 1, 2003, p. 66-70.
2. Chris Mruk, *Self-esteem : research, theory, and practice*, New York, Springer Pub., 1995.

dans les années 1960[3] et demeurent encore utilisés aujourd'hui. Très vite, le concept d'estime de soi s'est retrouvé à peu près partout. La fameuse hiérarchie des besoins d'Abraham Maslow[4], développée dans les années 1940 mais qui connaît son heure de gloire dans les années 1970 fait de l'estime de soi l'un des besoins essentiels au bonheur de l'être humain.

Le concept d'estime de soi est devenu un concept passe-partout. Au niveau scolaire, les nombreuses études ont tenté d'établir (par des enquêtes auprès des élèves) une corrélation entre la basse estime de soi d'un individu et ses piètres performances scolaires. En clair, les études ont réussi à démontrer qu'un enfant qui se déprécie est *aussi* un enfant qui ne réussit pas bien à l'école. De là à trouver un lien de cause à effet entre la basse estime de soi et la réussite scolaire, il n'y avait qu'un pas que les pédagogues ont franchi allégrement.

Au Québec, l'importance de l'estime de soi pour la réussite scolaire fait tout aussi partie des principaux postulats des théories pédagogiques qu'ailleurs en Occident. Mais il y a plus. Car au Québec, la notion d'estime de soi rappelle à la mémoire collective de manière presque instinctive un ensemble d'images des pratiques de l'ancien système éducatif dont nous nous sommes collectivement «débarrassés» dans les années 1960. Le système scolaire québécois pré-1960, administré jusque-là par le clergé, représente en effet dans l'esprit populaire la quintessence d'une école totalement indifférente aux conséquences de ses méthodes pédagogiques sur l'estime de soi des élèves. L'utilisation de la force physique pour discipliner les élèves (la proverbiale «strap») ou encore la pratique d'aligner les élèves en rang, du premier au dernier de classe,

---

3. Les tests *Rosenberg* et *Coopersmith* sont les auto-questionnaires visant à mesurer l'estime de soi les plus utilisés. Voir J. Blascovich, et J. Tomaka, J., «Measures of self-esteem», dans John P. Robinson, Phillip R. Shaver et Lawrence S. Wrightsman (dirs.), *Measures of personality and social psychological attitudes*, Volume I, San Diego, CA, Academic Press, 1991.
4. Abraham Maslow, «A Theory of Human Motivation», *Psychological Review*, n° 50, 1943, p. 370-396. Selon Maslow, les êtres humains cherchent à combler des besoins en fonction de l'ordre de priorité suivant. Une personne cherchera d'abord à combler ses besoins physiologiques avant ses besoins de sécurité, suivis du besoin d'amour, d'estime des autres, d'estime de soi, et enfin d'accomplissement personnel. Voir aussi: Roy Jose DeCarvalho, *The Founders of Humanistic Psychology*, New York, Praeger, 1991.

représentent les symboles les plus vifs à l'esprit de la mémoire collective des pratiques humiliantes qui dévalorisaient l'estime d'eux-mêmes des élèves. Si on a sans doute exagéré l'étendue et la fréquence de ces pratiques au moment où il fut décidé de s'en débarrasser, la critique en tant que telle était évidemment loin d'être farfelue. Pour ne prendre qu'un exemple caricatural, on voit mal comment des coups assénés publiquement pouvaient aider un enfant dysphasique à améliorer ses performances scolaires.

Comme les autres systèmes éducatifs occidentaux, le système québécois s'est convaincu que la bonne estime de soi d'un élève est un vecteur essentiel de sa réussite scolaire. Le changement s'est opéré entre les années 1960 et 1980, bien avant l'actuelle réforme scolaire. Sauf erreur de notre part, peu, sinon, aucune étude ne s'est intéressée de manière exclusive à ce passage, mais il est clair qu'au début des années 1980, les principales pratiques jugées néfastes à l'estime de soi des élèves ont été abolies. Ceux qui, comme l'auteur de ces lignes, ont entrepris leur école primaire en 1980 au Québec n'ont jamais connu la violence physique et n'ont jamais été alignés au mur selon leur rang. En 1980, les enfants craignent maintenant de perdre le privilège de laver les effaces à tableau ou la responsabilité d'aller chercher les berlingots de lait. Ils ne craignent plus leurs professeurs ou l'humiliation commandée par des impératifs pédagogiques d'une autre époque.

Il est essentiel de préciser que dans les années 1960 et 1970, l'élimination des pratiques néfastes pour «l'estime de soi» des élèves ne représente qu'un des nombreux correctifs à apporter au système scolaire. Si ces pratiques sont dorénavant jugées archaïques, leur abrogation ne constitue nullement le principal moteur de ces réformes. Ces modifications s'insèrent plutôt dans un ensemble beaucoup plus vaste de transformations dont l'arrière-plan philosophique est la démocratisation de l'école québécoise, qui doit s'opérer en fonction d'une double quête d'égalité. Égalité, d'abord, entre les jeunes québécois. Dans la foulée du rapport Parent[5], la nouvelle école québécoise doit permettre un même

5. Alphonse-Marie Parent, *Rapport*, Commission royale d'enquête sur l'enseignement dans la province de Québec, Québec, 1963-1966, 3 tomes, 5 volumes.

accès et une même qualité d'enseignement à l'ensemble des enfants québécois, du plus pauvre au mieux nanti, de celui qui vit à Montréal jusqu'à celui qui habite Amqui. Égalité, ensuite, entre les peuples du Canada. L'école québécoise doit devenir le principal moteur du rattrapage socio-économique que les Québécois veulent effectuer avec les autres Canadiens.

La première «réforme» de l'école québécoise, celle qu'analysait déjà en 1969 Louis-Philippe Audet[6], relevait donc d'abord de la concrétisation d'un idéal égalitaire. Comme toute grande réforme, la première réforme du système éducatif québécois est confrontée aux particularismes du système qui doit être remplacé. Si les révolutions portées par les mêmes idées ne donnent jamais entièrement les mêmes résultats, c'est qu'elles ne se font pas contre les mêmes ennemis. La Révolution américaine, dont les combats ont lieu à des milliers de kilomètres du siège du pouvoir monarchique, fondera un régime politique très différent de celui de la Révolution française, qui se fait sur (et qui occupe) les lieux mêmes où s'exerçait le pouvoir de l'ancien régime. De la même manière, la réforme du système scolaire québécois se fait contre un type de régime éducatif précis. Le régime pédagogique clérical qu'ont subi (comme élèves), et que combattent (comme adultes), les réformateurs des années 1960 a comme principal défaut de reposer sur la certitude que le rapport à la connaissance doit être foncièrement asymétrique entre les individus. Dans l'esprit des cléricaux, la nature agricole de la société canadienne-française l'intime de favoriser un système éducatif à voies multiples et complémentaires. Il y a d'abord le parcours du plus grand nombre, qui recevra le minimum d'éducation nécessaire à l'exercice de l'agriculture ou de menus métiers. Il y aura ensuite le parcours de la minorité, issue de la petite bourgeoisie canadienne-française, ou parmi les éléments les plus brillants des couches populaires, qui sera orientée vers le cours classique afin de lui procurer les outils nécessaires à ses fonctions de classe dirigeante (professions libérales et clergé). Étant donné la nature jugée profondément élitiste de ce système, c'est d'abord à cet élitisme que s'attaque la première réforme scolaire.

6. Louis-Philippe Audet, *Bilan de la réforme scolaire au Québec 1959-1969*, Montréal, Presses de l'Université de Montréal, 1969.

Le symbole le plus important de cet élitisme sont les collèges où se donne le cours classique et qui seront remplacés par les cégeps. Mais il ne s'agit pas là de la seule mesure adoptée, loin de là. La démocratisation de l'accès aux études supérieures par la création du réseau des Universités du Québec ou encore la création des régimes de prêts et bourses font partie des changements institutionnels qui correspondent à cette volonté de démocratiser le régime scolaire québécois.

Mais se limiter à décrire les changements institutionnels empêche de comprendre à quel point cette volonté de démocratiser l'école a trouvé un prolongement dans une foule de changements subreptices, à l'intérieur comme à l'extérieur de la salle de classe. Les élèves du primaire ont cessé de vouvoyer leurs enseignantes pour leur adresser dorénavant la parole par leur simple prénom. La distance jugée jusque-là naturelle entre l'enseignant et l'élève (après tout, l'un sait, et l'autre ne sait pas) a aussi commencé à être contestée, souvent par les enseignants eux-mêmes. L'apparition du vocable «s'apprenant» à cette époque, pour désigner l'élève, participe de cette volonté de réduire la distance entre l'élève et l'enseignant, l'élève étant dorénavant conçu comme le principal maître d'œuvre de son apprentissage. Cela se traduit aussi par des changements dans l'aménagement des pupitres en salle de classe, souvent placés «en cercle» avec l'enseignant en son sein, plutôt qu'en rangée face à un enseignant livrant un cours magistral. De même, la disposition des parents par rapport à l'enseignant a été (involontairement) modifiée. Alors qu'avant les années 1960 l'enseignant pouvait presque toujours compter sur l'appui indéfectible des parents si un élève posait quelque problème que ce soit, les parents ont progressivement cessé de voir l'enseignant comme le mandataire de leur autorité parentale pendant une partie de la journée. Pour plusieurs parents, l'enseignant est devenu un simple pourvoyeur de services éducatifs. Lorsque l'enseignant appelle à la maison, il ne trouve plus le relais de jadis, mais entend maintenant sortir de la bouche d'un parent complaisant une justification du comportement nuisible de l'enfant. En somme, l'esprit de démocratisation de l'école québécoise ne s'est pas limité à pallier les inégalités entre les jeunes québécois ou avec le reste des Canadiens. L'idée maîtresse du nouveau système, c'est-à-dire que chacun a droit à un accès égal à la connaissance en fonction de son égale dignité, a aussi affecté le rapport élève-enseignant, souvent pour le meilleur, parfois pour le pire.

Cela dit, les années 1960 et 1970 ne sont pas allées au bout de la logique égalitariste, et certaines méthodes adoptées dans sa foulée ont été abandonnées lorsqu'elles ont été jugées inefficaces. C'est le cas par exemple de la méthode du sablier, par laquelle les élèves apprenaient à écrire «au son[7]», et qui a donné des résultats décevants. En somme, l'école québécoise ne devient pas Summerhill[8]. La démocratisation permet d'abord un meilleur accès à l'école, et une meilleure scolarisation des Québécois qui a donné des résultats plus qu'appréciables étant donné l'ampleur de la tâche qui était celle des réformateurs au début des années 1960. On saura pardonner à une première génération de réformateurs certaines dérives pédagogistes étant entendu que dans toute révolution se commettront inévitablement des erreurs.

De manière plus importante encore pour notre propos : la question de l'estime de soi, dans cette première période, n'apparaît que comme l'un des très nombreux présupposés de la nouvelle pédagogie. Quant à elle, l'abrogation des mesures délétères pour l'estime de soi des élèves ne constitue que le changement le plus visible d'un ensemble beaucoup plus vaste de changements apportés à l'école québécoise. On peut penser que la fin du classement des élèves en rang avait autant à voir avec la volonté d'en finir avec l'élitisme du système qu'avec la volonté de ne pas nuire à l'estime de soi du dernier de classe. L'élimination de cette pratique a pu se faire d'autant plus facilement qu'elle était compatible avec l'une, comme l'autre de ces visées.

---

7. Gisèle Côté-Préfontaine et Robert R. Préfontaine, *La lecture par la méthode du sablier: guide pédagogique*, Montréal, Beauchemin, 1967.
8. L'école Summerhill, située à Leiston en Grande-Bretagne, est le lieu depuis 1921 d'une expérience pédagogique radicale basée sur la liberté, l'égalité entre l'élève et le professeur, et l'autogestion. Les enfants y sont entièrement libres de ce qu'ils choisissent d'apprendre (ou de ne pas apprendre). Voir Alexander Sutherland Neill, *Libres enfants de Summerhill*, Paris, Maspero, 1971.

Le glissement de la réforme pédagogique

La réforme pédagogique implantée cette fois à la suite des États généraux sur l'éducation en 1996 est d'une autre nature. Bien que l'école québécoise en 1996 représente indéniablement une importante avancée par rapport à l'école de 1960, demeuraient un certain nombre de problèmes endémiques qu'il s'agissait d'identifier et de résoudre en réunissant autour d'une même table les principaux acteurs en éducation. Ces problèmes sont résumés ainsi dans le rapport de la commission:

> On [reproche à l'école], entre autres choses, de ne pas garantir la qualité des apprentissages de base (par exemple, en français), de fournir un bagage culturel pauvre (pensons aux carences des élèves en histoire), de ne pas être très efficace en matière de transmission de valeurs (y compris en ce qui a trait à la valeur de l'éducation elle-même, qui est trop souvent réduite à ses aspects étroitement utilitaires) et de laisser bon nombre de jeunes s'intégrer au marché du travail sans qualification professionnelle[9].

On pourrait ajouter à ces préoccupations le fort taux de décrochage scolaire, sans doute le thème le plus médiatisé pendant les États généraux.

Si les intentions de la réforme pédagogique étaient nobles, l'idée d'en confier la responsabilité à un certain type de pédagogues s'est révélée catastrophique. Assez vite, la réforme scolaire est devenue un joujou de pédagogues, sur la base de pseudoétudes pédagogiques douteuses. Certaines idées mal réfléchies et jamais discutées pendant les États généraux de l'éducation se sont rapidement imposées, comme celle d'évaluer les élèves en fonction des *compétences* plutôt qu'en fonction des *connaissances* acquises. De la même manière, la réforme scolaire a fait la promotion d'un changement radical dans l'approche pédagogique que l'enseignant doit adopter pour enseigner. Même si de manière parfaitement hypocrite l'on affirme dans les documents du ministère que les enseignants sont libres de choisir la méthode pédagogique qui convienne le mieux à leurs élèves, dans les faits, les manuels scolaires, les séances de

9. *Les États généraux sur l'éducation 1995-1996, Exposé de la situation*, ministère de l'Éducation, État du Québec, 1996. Le rapport est disponible sur le site du ministère au <http://www.mels.gouv.qc.ca/etat-gen/menu/chap1.htm#DEBAT>.

formation aux enseignants, la formation des maîtres, les programmes et les bulletins ont été entièrement réécrits de manière à être conformes à l'approche pédagogique *socioconstructiviste*. En d'autres termes, la réforme scolaire, qui devait régler un certain nombre de problèmes, est rapidement devenue une réforme de paradigme pédagogique. La réforme scolaire a carrément été kidnappée par un ensemble d'acteurs et d'universitaires pour devenir une expérience pédagogique à grande échelle. Il est difficile aujourd'hui de se représenter l'ampleur du kidnapping qui a eu lieu. De la même manière que le 11 septembre 2001 a fourni à George W. Bush un prétexte pour envahir l'Irak, le complexe pédago-ministériel[10] s'est servi de la volonté de changement manifestée pendant les États généraux pour imposer indûment l'idéologie socioconstructiviste au système d'éducation québécois. L'histoire de ce kidnapping reste à être écrite.

La plus récente réforme scolaire, récemment renommée le «renouveau pédagogique», a donc été développée sur la base d'une idéologie où l'estime de soi joue un rôle absolument central. À la base de l'idéologie socioconstructiviste se trouve l'idée que tout savoir est un pur construit. Étant entendu que le savoir est un construit, les auteurs de la réforme jugent qu'il est plus naturel pour l'élève de construire lui-même son propre savoir plutôt que de se voir transmettre un savoir «construit» par d'autres. Pour les socioconstructivistes, l'élève acquiert une compétence en découvrant par lui-même la logique sous-jacente à un problème, plutôt qu'en se faisant expliquer dans un cours magistral le fonctionnement de celui-ci. On répète souvent, dans les textes socioconstructivistes, que l'élève est placé «au centre de son apprentissage». L'image est agréable, puisqu'elle s'oppose à une caricature, elle aussi souvent usitée par les socioconstructivistes comme repoussoir, de celui de la cruche vide que l'enseignant se contenterait tout simplement de remplir.

Le fait de représenter l'élève comme un acteur agissant dans son apprentissage plutôt que comme un récipient, si elle est d'emblée méprisante pour les dizaines de générations qui nous ont précédés, a le mérite d'une certaine clarté. L'élève est placé symboliquement

10. Marc Chevrier, « Le complexe pédagogo-ministériel », *Revue Argument*, vol. 9, nº 1, automne 2006- hiver 2007, p. 21-34.

à l'avant-scène du processus d'apprentissage, à égalité avec son enseignant. L'enseignant lui-même n'est plus un « maître », mot honni dans le vocabulaire de la réforme, mais comme un guide, une aide, quelqu'un qui accompagne l'élève dans son cheminement d'apprentissage. Quoi de mieux en effet qu'un autodidacte, qui apprend par lui-même par amour du savoir. Dans les faits, l'esprit qui informe ce type de compréhension du processus d'apprentissage procède d'un malaise – qui n'est pas celui du Québec seulement, mais de toute la modernité – face à un rapport maître-élève qui est dans sa nature même profondément inégalitaire.

Les réformateurs étaient donc habités d'une conviction profonde au moment de définir les grandes orientations de la réforme (ou du moins, c'est ce qui transpire clairement des documents produits pour la justifier) : dans leur esprit, l'ensemble des problèmes identifiés par les États généraux sur l'éducation existe *parce que l'école reste encore largement un lieu d'inégalités*. Et l'ensemble de ces inégalités, entre les élèves, entre l'enseignant et l'élève, est dommageable pour l'estime de soi des élèves. Étant donné que l'élève est dorénavant placé au centre de sa propre connaissance, la réussite scolaire doit impérativement passer par un rehaussement de l'estime de soi des élèves. Un élève qui ne s'estime pas ne sera pas en mesure de participer activement à la construction du savoir qu'il doit acquérir essentiellement par lui-même.

Une fois extirpée la glose imbuvable des documents du ministère en éducation, le maître mot de la réforme est « l'estime de soi ». Toutes les pratiques de l'école québécoise qui ont été jugées responsables de provoquer quelque impact négatif que ce soit sur l'estime de soi des élèves ont été systématiquement éliminées. La liste des mesures qui ont un lien direct avec la volonté de rehausser l'estime de soi des élèves est longue et l'impact de tous ces changements a été majeur. On peut même dire que la volonté de rehausser l'estime de soi des élèves est la principale caractéristique de la réforme scolaire.

Un des aspects les plus visibles de la réforme scolaire est la profonde transformation du bulletin scolaire. Deux caractéristiques en particulier ont été modifiées. Auparavant, le bulletin scolaire était divisé par discipline, et l'élève se voyait attribuer une note chiffrée. Certes, ce modèle avait ses limites, mais il avait au moins la vertu de sa simplicité. Une moyenne de classe était également comptabilisée, ce qui permettait au parent de comparer le résultat scolaire de son enfant avec les autres élèves dans la classe. On le sait, la réforme scolaire a fait trois choses. Elle a d'abord éliminé les résultats strictement disciplinaires au profit d'une note alphabétique en fonction d'un ensemble de compétences acquises par discipline. Certaines compétences ne relevant pas d'une seule discipline ont été regroupées sous l'appellation de «compétences transversales». Qui plus est, les moyennes de classe ont été éliminées, si bien qu'il n'est plus possible d'évaluer un enfant par rapport aux autres élèves. Ce qu'il s'agit maintenant d'évaluer, c'est la progression de l'élève par rapport à lui-même, c'est-à-dire s'il devient plus «compétent» qu'il ne l'était à la dernière évaluation. La logique à l'œuvre derrière l'élimination de la moyenne est claire: la comparaison entre les élèves est dommageable pour l'estime de soi des élèves, notamment des élèves les plus faibles qui risquent de se sentir moins bons que les autres étant donné qu'ils obtiennent de moins bonnes notes. L'objectif ici est d'éviter toute comparaison entre les élèves de manière à ne pas affecter négativement l'estime de soi des élèves les plus faibles.

Mais ce n'est pas tout, puisque la réforme scolaire a un préjugé défavorable pour toute forme d'échec, préjugé qui se répercute sur les méthodes d'évaluation. Très peu de gens savent en effet que la note qu'obtient un élève à la fin de l'année pour une compétence n'est pas cumulative. Pour éviter que les élèves ne subissent un échec, la réforme scolaire multiplie les possibilités pour ceux-ci de «passer» leurs cours. Par exemple, la note finale qu'obtient l'élève à la fin de l'année ne représente pas la somme des bulletins d'étapes précédents. Un élève qui obtient un «D» dans une compétence à chacun de ses bulletins peut très bien terminer l'année avec un «A» si l'enseignant juge que l'élève maîtrise *maintenant* la compétence, ne serait-ce que sur son tout dernier test. En multipliant les compétences pour chacune des disciplines, la transformation du bulletin donne aussi à l'enseignant la possibilité de faire passer un élève qui ne maîtrise pas l'ensemble de sa matière sur la base d'une évaluation «holistique», ou «d'ensemble». Avec cette approche, l'enseignant peut même faire passer un élève qui n'obtient pas la note de... passage! L'idée est claire: étant donné les effets terribles sur l'estime de soi des élèves, il faut tout faire pour éviter l'échec des élèves, quitte à faire passer ceux qui ne fournissent même pas le minimum d'effort nécessaire à une véritable réussite ou ceux qui ont de graves difficultés d'apprentissage. Tous les enseignants que nous avons rencontrés pour préparer ce texte nous ont avoué d'emblée faire passer[11] beaucoup plus d'élèves maintenant qu'avant l'implantation de la réforme scolaire... et ils en faisaient déjà «passer» pas mal auparavant!

Une autre mesure très visible de la réforme scolaire a été la fin du redoublement intracycle. Les années scolaires ont été regroupées en cycles scolaires: les première et deuxième années du primaire forment maintenant le premier cycle du primaire, les troisième et quatrième années forment le deuxième cycle, et ainsi de suite. En interdisant le redoublement intracycle, la réforme scolaire a empêché de faire redoubler un élève à la fin de sa première année, ou à la fin de sa troisième année, et ainsi de suite. Si bien qu'un élève qui ne réussit pas sa première année ne la redoublera pas: il poursuivra ses études en deuxième année. S'il présente encore des difficultés à la fin de la deuxième année, même alors «le redoublement devrait demeurer une mesure très exceptionnelle[12]» nous dit le site Internet du MELS. Encore une fois, la réforme scolaire juge qu'il est plus dommageable pour un élève de faire face à un échec étant donné les prétendues conséquences pour son estime de soi, que d'entamer une nouvelle année scolaire sans avoir maîtrisé les notions apprises l'année précédente. Selon le MELS, «Les recherches en éducation montrent que, généralement [le redoublement] ne favorise pas la réussite et peut même nuire au parcours scolaire des élèves, *sans compter les conséquences négatives que cela peut avoir sur l'estime de soi*[13]». La réforme juge qu'il est préférable de faire passer l'élève

11. Voir là-dessus le témoignage éclairant de Patrick Moreau, *Pourquoi nos enfants sortent-ils de l'école ignorants?* Montréal, Boréal, 2008.

12. «La réforme de l'éducation: questions et réponses à l'intention des parents et du public», ministère de l'Éducation, du Loisir et du Sport, État du Québec. <http://www.mels.gouv.qc.ca/reforme/Boite_outils/ques_rep.htm>.

13. *Ibid.* Nous soulignons.

qui ne le mérite pas plutôt que de le confronter à leur échec. Pour le ministère, l'estime de soi est si importante qu'il ne faut surtout pas qu'un élève qui échoue... sache qu'il échoue! Il s'agit là d'un parti pris idéologique totalement aberrant, et dont on ne mesurera les conséquences que dans une dizaine d'années, alors que ces élèves qui sortiront du secondaire avec un diplôme sans valeur se retrouveront confrontés à la dure réalité de la vie après l'école. Nous y reviendrons.

Toujours selon la même logique, la réforme scolaire a jugé nécessaire d'éliminer les classes spéciales réservées aux élèves en difficultés d'apprentissage. Les élèves comportant d'importants troubles de comportements, tous comme les élèves comportant des retards neurologiques, des troubles profonds d'apprentissages, bref, tous les élèves quels qu'ils soient sont maintenant le plus souvent dans les mêmes classes. Encore une fois, ce changement majeur, aux innombrables conséquences à la fois pour les élèves en difficultés que pour les autres élèves, a été fait en fonction d'un parti pris idéologique du ministère de l'Éducation qui fait de l'estime de soi la principale (sinon la seule) condition de réussite des élèves. On a jugé qu'en isolant les élèves en difficultés dans des classes séparées, on les stigmatise aux yeux des autres élèves, et à leurs propres yeux. Ce changement, il faut le reconnaître et s'en féliciter, a parfois donné droit à de belles réussites. Certains élèves ayant des handicaps physiques, mais étant parfaitement capables de suivre un cours «régulier» ont été intégrés avec succès en salle de classe. Nul doute qu'il s'agit là d'une valeur ajoutée pour l'élève lui-même et pour l'ensemble de ses confrères et consœurs de classe. On nous a raconté l'histoire touchante d'un élève totalement aveugle qui, dans une école secondaire de l'Outaouais, est devenu une inspiration pour ses camarades pour avoir accumulé les distinctions lors des galas méritas, en plus d'être passé maître dans l'art... de la planche à roulettes! Mais pour chaque exemple comme celui-là, on note des dizaines d'autres exemples d'élèves avec de graves difficultés d'apprentissages et de graves troubles envahissants du comportement. On insiste néanmoins pour les intégrer dans la salle de cours. Les pédagogues du MELS sont beaucoup plus préoccupés par l'impact potentiel pour l'estime de soi de l'élève turbulent que pourrait représenter son retrait de la salle de classe régulière, que de l'impact négatif de sa présence en classe pour l'apprentissage des élèves. En d'autres termes, le ministère agit à cet égard en fonction d'un parti pris idéologique qui favorise l'intégration au-delà de toute autre forme de considérations.

Les effets pervers

Comme l'importance de l'estime de soi pour la réussite scolaire est un lieu commun aussi répandu que l'importance de l'exercice physique pour être en santé, les critiques contre la réforme scolaire ont très peu dénoncé cette intention du ministère. On a surtout insisté, et avec raison, sur l'abscondité des documents du ministère justifiant la réforme, sur les retards dans la production des manuels scolaires, sur les problèmes que pose l'évaluation par compétence, sur le manque de financement, sur l'intégration sauvage des élèves en difficulté dans les salles de classe, sur la médiocrité de la formation offerte aux enseignants, mais aussi sur le choix de l'approche socioconstructiviste comme méthode pédagogique. Toutes ces critiques sont valables.

Mais on pourrait aussi s'interroger sur ce parti pris pour l'estime de soi. Aux fins de la discussion, nous ne remettrons pas en cause le dogme qui veut que l'estime de soi soit indissociable d'une bonne réussite scolaire, puisqu'une telle critique nous amènerait vers des considérations qui débordent largement notre propos. On pourrait pourtant aisément le faire, puisque même sur la base des documents du ministère, la profession de foi en faveur de l'estime de soi est contredite par les faits. Par exemple, une étude du MELS publiée en 2003 indique que les garçons ont généralement une meilleure estime d'eux-mêmes que les filles. Logiquement, ils devraient mieux réussir à l'école que les filles. La même étude montre pourtant que les garçons redoublent plus souvent que les filles[14].

Mais oublions pour l'instant que la théorie « de l'importance de l'estime de soi pour la réussite scolaire » est fort probablement

14. *Pour améliorer les pratiques éducatives : des données d'enquête sur les jeunes, Fascicule d'accompagnement n° 1 : Milieu scolaire des jeunes*, ministère de l'Éducation, du Loisir et du Sport, État du Québec, 2003. <http://www.mels.gouv.qc.ca/Agirautrement/Fascicule_ecole.pdf>.

totalement fausse et sans aucun fondement scientifique sérieux[15], et admettons que d'améliorer l'estime d'eux-mêmes des élèves soit important. Est-ce que la réforme scolaire y arrive? Est-ce que la réforme scolaire des dix dernières années parvient à insuffler aux élèves une meilleure estime d'eux-mêmes et est-ce que cela se traduit en de meilleurs résultats scolaires? En d'autres termes, la réforme réussit-elle en fonction de ses propres objectifs? Est-ce que l'ensemble des mesures mises en place par la réforme scolaire, tels l'accent mis sur les compétences plutôt que sur les connaissances, l'absence de redoublement, les bulletins non chiffrés et l'intégration des élèves en difficulté dans les classes régulières, a permis de constater une amélioration de l'estime de soi des élèves?

Les pédagogues répondent généralement à ce type de question en multipliant les sondages auprès des élèves. Nous n'avons procédé à aucune enquête de ce type non seulement parce que nous n'avons pas les ressources pour le faire, mais aussi pour deux principales raisons. D'abord, l'estime de soi est un concept qui a un sens si relatif que toute tentative de comparaison entre des groupes cibles, à deux périodes données, donnerait potentiellement de faux résultats scientifiques. Puisque les tests administrés aux élèves du primaire et du secondaire ont été changés dans la foulée de la réforme, il serait impossible aujourd'hui de comparer les résultats scolaires des élèves préréforme et postréforme pour tenter de faire une corrélation entre l'estime de soi des élèves en regard à leur réussite scolaire, si tant est que l'on puisse sérieusement mesurer cette «amélioration» de l'estime de soi. Pour ne prendre qu'un exemple, le «bilan» dans les cours d'anglais à la fin de la deuxième année du secondaire (ce que l'on appelait à une autre époque «l'examen final») se fait maintenant *en équipe*, et l'une des étapes de ce bilan permet aux élèves de partager leurs réponses avec tous les autres élèves de la classe! Ce type de pratique, qui fait bien rigoler les élèves (demandez-le à n'importe quel enseignant), gonfle artificiellement les notes des élèves les plus faibles.

---

15. Pour une critique du concept d'estime de soi, voir Roy F. Baumeister *et al.* «Does High Self-Esteem Cause Better Performance, Interpersonal Success, Happiness, or Healthier Lifestyles?», *Psychological Science in the Public Interest*, vol. 4 nº 1, mai 2003, p. 1-44. Aussi, voir Roy F. Baumeister *et al.*, «Exploding the Self-Esteem Myth», *Scientific American*, janvier 2005.

Les considérations qui suivent sont donc de natures théoriques, mais elles ne sont pas abstraites pour autant. Elles émanent de nombreuses discussions avec plusieurs enseignants au primaire et au secondaire qui confirment spontanément les effets néfastes du nouveau système pédagogique québécois sur ce que l'on nomme l'estime de soi des élèves.

À notre avis, en multipliant les mesures pour rendre la tâche plus facile aux élèves et pour leur éviter des échecs, la réforme scolaire introduit un vice de forme dans le système éducatif qui a des effets totalement déplorables, justement, sur... leur estime de soi! En d'autres termes, la réforme scolaire est un échec monumental, précisément là où les socioconstructivistes ont multiplié le plus d'effort. Le fait que le système éducatif québécois nivelle constamment par le bas, qu'il fasse passer des élèves qui ne méritent pas de passer leurs cours, qu'il se montre de moins en moins exigeant année après année, et ainsi de suite *renvoie aux élèves une image dépréciée d'eux-mêmes et du système scolaire lui-même.* La réforme scolaire n'a qu'un seul message pour les élèves québécois: «nous ne vous croyons pas capable de grande chose: nous vous en demanderons donc le moins possible».

L'idée se comprend aisément. Le médaillé olympique est fier de sa réussite, tout comme le public est admiratif de son exploit, parce que tout le monde comprend aisément que pour y arriver l'athlète a dû se dépasser et fournir un effort exceptionnel digne d'estime. *A contrario*, personne ne se vante d'avoir reçu un prix de présence dans un barbecue du Club Optimiste.

Pour reprendre les mots de Max Gallo dans sa biographie du Général de Gaulle, «estimer quelqu'un, c'est exiger beaucoup de lui». S'il fallait faire le bilan de cette réforme scolaire, il faudrait impérativement commencer par se poser cette question: Comment diable a-t-on pu penser que faire passer un élève qui ne le mérite pas sera positif pour son estime de soi? S'attend-t-on à ce que cet élève travaille d'arrache-pied l'année suivante, sachant qu'il passera ses cours même s'il ne manifeste pas le moindre effort? Les enseignants, en particulier ceux du secondaire, admettent spontanément que le premier impact significatif de la réforme scolaire a été de baisser considérablement les exigences... qui déjà n'étaient pas très élevées. Combien de fois se fait-on dire par des enseignants qu'ils font passer des élèves qui ne maîtrisent pas les premiers rudiments de la matière qu'ils enseignent, que le système d'évaluation des compétences a été pensé de manière à permettre aux enseignants de faire passer le plus d'élèves possible à partir de considérations le plus souvent totalement loufoques? Dans les écoles du Québec aujourd'hui, les professeurs ont le droit de donner à peu près la note qu'ils veulent aux élèves et cela en faisant abstraction des tests, épreuves, dictées ou tout autre mode d'évaluation administré aux élèves! Et cela n'est pas une boutade: le «bilan» de la troisième année de plusieurs cours au secondaire énonce explicitement que «Si des écarts significatifs sont constatés dans les données recueillies à l'aide du prototype d'épreuve, ne pas considérer ces données dans le jugement global[16].» Dans un langage compréhensible, on écrirait: si l'élève échoue à l'examen final, il vous est permis de ne pas considérer la note à cet examen dans l'attribution de la note finale! Vous avez bien lu*: il est permis à un enseignant dans les écoles du Québec aujourd'hui de ne pas tenir compte d'un examen final dans l'attribution d'une note finale!*

Comment veut-on que les élèves prennent leurs examens au sérieux sachant que s'ils échouent le professeur pourra choisir de ne pas retenir la note? Mais surtout: comment peut-on penser que cela aura un impact positif sur l'estime de soi de l'élève qui sait qu'il n'a pas à fournir le moindre effort pour passer d'un niveau à l'autre? Comment les élèves réagiront-ils devant cette pratique totalement arbitraire?

Car voilà: comme dans tous les systèmes qui reposent sur des bases fallacieuses, personne n'en est dupe, ni les élèves, ni les parents (qui choisissent de plus en plus d'envoyer leurs enfants à l'école privée), et ni les enseignants. L'élève sait qu'il obtient une note de passage sans maîtriser la matière. Si le redoublement est terrible pour l'estime de soi de l'élève, qu'en est-il de celui qui réussit même s'il se

16. *Document d'information, prototype d'épreuve, français, langue d'enseignement, fin de la 3e année du secondaire*, nº 132-308, ministère de l'Éducation, du Loisir et du Sport, État du Québec, <http://www.mels.gouv.qc.ca/dfgj/de/pdf/2008/fls5_0809._prototype.pdf>, p. 7 ; Voir aussi : *Document d'information, prototype d'épreuve*, science et technologie, 3e secondaire 055-306, p. 5. <http://www.mels.gouv.qc.ca/dfgj/de/pdf/2008/sctechno0809_prototype_f.pdf>.

sait inapte dans la matière étudiée? Est-ce que quelqu'un au ministère ou dans les facultés d'éducation a mesuré ces impacts? Il ne semble pas farfelu d'affirmer qu'un élève qui passe un cours sans maîtriser la matière pourrait développer quelques réflexes malsains, soit de penser que tout lui est dû, soit alors de se convaincre que l'effort n'est pas un facteur de la réussite scolaire. Quel incitatif à l'effort peut bien avoir un élève qui sait que le professeur cherche littéralement à lui faire «passer» son cours? Quelle sera la conséquence de telles pratiques sur les meilleurs élèves, qui savent que plusieurs de leurs camarades ne méritent pas les résultats qu'ils obtiennent? En effet, il n'y a pas que les élèves en difficulté qui sont affectés par ce problème. Par le passé, certains élèves pouvaient être motivés par la perspective d'obtenir une note supérieure à la moyenne de la classe, d'autres encore par la peur de l'échec. Les élèves pouvaient essayer de se dépasser. Quelle a été la conséquence de l'abrogation de la moyenne de classe pour les meilleurs élèves, dans un système qui se refuse dorénavant de féliciter ses élèves les plus méritants?

Devant la grogne populaire, le gouvernement commence à faire demi-tour. Pour ne retenir qu'un exemple, les moyennes de classe ont refait leur apparition l'an dernier dans les bulletins. Mais tout cela est fait dans l'improvisation la plus totale, sans la moindre réflexion sur les visées qui étaient celles des réformistes de la fin des années 1990. Il semble que l'ampleur de la tâche a eu tôt fait de ralentir l'actuelle ministre de l'Éducation, une des rares a avoir occupé son poste pendant une période de temps conséquente, et qu'y était pourtant, à son arrivée en poste, plutôt sceptique face à la réforme scolaire. La solution, malheureusement, ne réside pas dans les demi-mesures. Le malaise est plus profond.

Les enseignants savent que le système scolaire est de moins en moins exigeant avec les élèves. Les meilleurs élèves d'aujourd'hui ont eu à déployer moins d'efforts que les élèves d'hier. Quelle sera la conséquence de ce nivellement par le bas à long terme, une fois qu'ils auront quitté les bancs d'école? Quel mur ces enfants vont-ils frapper lorsqu'ils devront affronter le marché du travail, habitués qu'ils ont été à être récompensés sans mérite pendant toutes ces années? Seront-ils alors emplis d'estime d'eux-mêmes, ou développeront-ils alors du mépris pour les flagorneurs de leur enfance?

De la désinstruction publique

Marc Chevrier

Au mois d'avril 2008, j'ai été le témoin et le participant d'une étrange expérience, plutôt troublante, dont je ne reviens toujours pas. Nous étions environ trois mille cinq cents à défiler dans les rues de Montréal, brandissant nos pancartes, marchant côte à côte, d'un pas mesuré et grave, un peu étonnés d'être là, d'en être rendus là, à devoir marcher pour défendre ce qui nous semblait tenir de l'évidence. Les représentants de la Fédération autonome de l'enseignement, l'organisatrice de la manifestation, avaient planifié l'événement avec beaucoup de soin. La foule s'était réunie à la place Émilie-Gamelin et a parcouru Montréal jusqu'au Palais des congrès. On y reconnaissait de nombreux enseignants excédés par une réforme scolaire qui les infantilisait, des professeurs de toutes disciplines, quoique très de peu de pédagogie, des parents qui craignaient pour l'avenir de leur progéniture. En descendant la rue Saint-Urbain en direction du complexe Desjardins, j'ai eu cette réflexion: «Mais c'est quand même incroyable, nous sommes en 2008, plus de quarante ans après nos grandes réformes scolaires dont nous nous glorifions encore au Québec, et nous en sommes à défiler dans la rue pour réclamer une école vouée à la transmission des connaissances.» C'est, à bien y penser, tout à fait surréaliste. La manifestation, sans pouvoir nous guérir de nos craintes les plus aiguës, avait cependant quelque chose de rassurant, un petit baume à nous offrir. Nous marchions dans la rue, non point pour des hausses de salaire, des congés payés, des horaires plus flexibles, des classes moins nombreuses; ce samedi matin, au moment où les familles préfèrent profiter de ce répit hebdomadaire pour faire des courses et s'occuper de leurs bouts de chou, nous avons dû interrompre le cours normal de nos activités pour défendre ce qui, dans une société qui se targue d'être développée, diplômée, scolarisée, instruite, ne va plus soi. Au Québec, depuis la réforme scolaire annoncée par Pauline Marois en 1997, faire de l'école un lieu d'instruction, de transmission des connaissances, dont les apprentissages sont réglés par le souci de la vérité, ne va en effet plus de soi. Nos ministres, nos sous-ministres et autres hauts fonctionnaires, nos députés, nos professeurs de pédagogie, nos journalistes pensent, pour une bonne part, qu'une école axée sur l'enfant, ses besoins, ses désirs, qui célèbre en lui un apprenant et cherche à développer chez lui une panoplie de compétences, est nécessairement la meilleure de toutes. Ils pensent même que pour parvenir à instituer cette école de rêve, qui serait l'incarnation même de l'école démocratique, ouverte, tolérante, moderne, progressiste, il convient de confier aux facultés de pédagogie le monopole de la formation des maîtres qui sauraient eux, après quatre ans de baccalauréat passés à potasser la psychopédagogie, les techniques de gestion de classe et les trouvailles de la didactique, éveiller chez leurs apprenants autonomes la compétence des compétences, c'est-à-dire apprendre à apprendre. Comment nos élites politiques, éducatives et, dans une certaine mesure, journalistiques en sont-elles venues à exclure la transmission des connaissances au profit de ces notions nouvelles abracadabrantes et engager nos institutions scolaires à plein gaz dans cette direction? C'est là une question qui mérite qu'on s'y arrête un peu. En d'autres termes, pourquoi une société qui doit son essor et ses libertés à la diffusion des connaissances finit-elle par rejeter la fibre qui l'a nourrie?

En examinant la nature du débat qu'a suscité l'implantation contre vents et marées de la réforme scolaire, je n'ai d'autres explications de ce phénomène d'entêtement de nos élites que l'aveuglement idéologique. Pour comprendre pourquoi nos élites ont importé, de Suisse semble-t-il, ce bric-à-brac pédagogique, il est peu utile d'en trouver les raisons dans les fondements scientifiques de l'entreprise, dans les études préliminaires ou projets pilotes qui auraient pu ou dû précéder la mise en œuvre de cette réforme dans tout le Québec. Il est clair, en réalité, que ce n'est pas à ce niveau que s'est jouée la conversion de nos élites au credo de la nouvelle pédagogie. Cette réforme n'est pas advenue après des décennies d'expérimentations patientes, de preuves concluantes, de contre-vérifications inlassables, de signes irréfutables indiquant que de telles inventions conceptuelles ou pédagogiques se traduisaient par une meilleure performance des élèves. Très peu de tout cela a été fait au Québec avant l'implantation de la réforme scolaire. Si leurs promoteurs ont réussi leur coup, c'est que leur discours, plus que leurs preuves, exerçait une grande séduction sur ceux qui ne demandaient qu'à se laisser convaincre. La pédagogie socioconstructiviste qui inspire la réforme scolaire a quelque chose d'attrayant, de sympathique, de racoleur, dans le vent. Elle est un montage idéologique habile, qui nous donne des raisons, fallacieuses mais néanmoins irrésistibles, de croire qu'elle doit être nécessairement la bonne vision, la bonne solution, le chemin à prendre. C'est un ramassis d'idées dans lesquelles on voudrait croire, car ne pas y croire nous obligerait à mettre entre nous et certaines utopies délicieuses une distance douloureuse à supporter. Et ceux qui ont le malheur de s'opposer à la vision enchanteresse de l'école que promeut la pédagogie socioconstructiviste sont aussitôt conspués, soupçonnés des intentions les plus vilaines, rangés dans le clan de la réaction, ou carrément ostracisés, comme ces quelques professeurs de pédagogie trouble-fête qui ont fait entendre leur dissidence et qui ont subi en retour de leurs collègues ligués contre eux des vexations dignes des pratiques staliniennes.

C'est donc en tant qu'idéologie qu'il faut considérer la pédagogie socioconstructiviste ; c'est à ce niveau qu'il convient de se placer pour saisir le succès de ce discours aux faux airs de science exacte. Or, la force d'une idéologie vient de ce qu'elle procure à celui qui y adhère un système complet, autosuffisant d'explication du monde ou d'une réalité qui le dispense d'aller plus loin, de confronter ses convictions au choc du réel. Une idéologie est d'autant plus forte et attrayante que loin de bousculer les convictions de son porteur, elle les renforce, les exalte, pour former un noyau dur de croyances dont la stabilité procure un sentiment de puissance et d'accord avec soi-même. L'idéologie libère du doute, de l'incessant travail de la raison, du va-et-vient de la pensée qui navigue à vue entre le monde réel et la fantaisie personnelle. Et l'idéologie peut griser, tourner la tête à celui qui ignore qu'il en est possédé. Parce qu'elle est un système d'explications, extensible à un grand nombre de réalités, elle est source de pouvoir. Quand on a en main la solution, la bonne formule, l'approche à toute épreuve, grâce au surplus à la possession d'un savoir qui s'exprime dans un langage compliqué fleurant un vernis de science, alors s'ouvrent les portes des officines du pouvoir. L'idéologie fait école, trouve ses partisans, installe ses soldats et ses rentiers dans les appareils, voire dans les médias, au parlement. Elle grandit sous la forme d'une grande communauté dont les membres se soutiennent les uns les autres, se reconnaissent à leur langage, leur tic verbal et communient dans la haine de l'ennemi commun, de celui qui a osé mettre en doute la validité de leurs croyances qu'ils tiennent pour évidentes et même moralement incontestables.

Mais qu'est-ce qui rend la pédagogie socioconstructiviste si alléchante ? Pourquoi a-t-on envie d'y croire ? C'est qu'elle dit de l'école des choses dont on voudrait croire qu'elles sont vraies, parce qu'elles semblent découler des exigences de la démocratie de notre temps. Trois éléments ou propositions composent le noyau de l'idéologie socioconstructiviste : 1) l'école doit fonctionner à l'image d'une démocratie ; 2) une conception radicale de l'autonomie, qui évacue tout ce qui pourrait rappeler à l'enfant sa minorité, son ignorance, sa passivité et sa dépendance à l'égard des adultes et de la société ; 3) la méfiance généralisée à l'égard des médiations et la haine de la culture seconde. Examinons un à un ces éléments et dégageons-en les conséquences.

L'école, une mini-démocratie ?

On célèbre à l'envi au Québec la démocratisation de l'éducation réalisée depuis la création en 1964 d'un ministère de l'Éducation. Cette démocratisation implique dans le discours de ceux qui s'en félicitent – et il y a certainement de bonnes raisons de s'en réjouir – des dimensions qui ne sont pas toutes distinguées, qui viennent souvent en bloc, confusément amalgamées. Que l'école se démocratise peut vouloir dire plusieurs choses: 1) l'accès à l'éducation s'élargit à l'ensemble de la population, sans distinction de classe, de fortune, etc., grâce notamment à un système d'instruction publique gratuit pour les deux premiers cycles d'études, primaire et secondaire; 2) l'école en elle-même, par l'instruction qu'elle offre à toutes les classes de la société, contribue à réduire les inégalités sociales, les enfants issus de familles les moins bien nanties accédant à un savoir leur permettant de gravir par la suite de nouveaux échelons en société; 3) l'école prépare l'enfant à la démocratie, en lui prodiguant le savoir et les notions nécessaires à l'exercice de ses droits et devoirs de citoyen; 4) la gestion des établissements scolaires doit suivre autant que possible la méthode démocratique; 5) enfin, par sa pédagogie et les valeurs qu'elle inculque à l'enfant, l'école est en soi déjà une forme de démocratie.

Les trois premières propositions susciteraient assez facilement un large consensus. Que l'école soit accessible à tous, promeuve l'égalité des chances et forme les futurs citoyens, ce sont là des propositions sur lesquelles des Québécois de tous horizons politiques pourraient s'entendre. La quatrième proposition est plus polémique; il y a du pour et du contre. Certains aspects de la gouverne scolaire sont démocratiques, d'autres non. Les directeurs d'école ne sont pas élus par le collège des enseignants, des parents ou des élèves. La cinquième proposition, toutefois, ne tombe pas sous le sens, malgré son air inoffensif. Elle recèle un ensemble de présupposés qui remettent en cause plusieurs des fondements de l'école auxquels nous sommes habitués. Or, ce que fait la pédagogie socioconstructiviste, c'est de passer insensiblement des trois premières propositions à la cinquième, en tirant de l'adhésion aux trois premières une présomption de validité de la cinquième. La pédagogie socioconstructiviste érige son école démocratique de différentes façons: 1) un discours égalitariste de l'enseignement, l'enfant est vu comme un être autonome, maître de ses apprentissages, participant, actif, qui construit son monde, ses découvertes, son sens moral, ses diverses compétences. En contrepartie, l'enseignant cesse d'être un maître, c'est un facilitateur, un accompagnateur, un animateur, un berger désorienté sans chien, un éveilleur, qui se met au niveau de l'élève, de plain-pied avec lui, en évitant de lui rappeler l'inégalité de statut, d'âge et de maturité entre lui, l'enfant, et l'enseignant, l'adulte. 2) Elle crée un système d'oppositions binaires qui, d'une part, associent ce qui est construit, autoengendré, produit et pensé par soi à ce qui est bien, démocratique, progressif et, d'autre part, renvoient tout ce qui est reçu, transmis, donné au domaine du mauvais, du rétrograde et de l'autoritaire. Ce système d'oppositions, elle peut l'appliquer même à la «cognition de l'apprentissage», aux diverses étapes mentales et psychologiques de l'apprentissage. 3) Enfin, elle assigne à l'enseignement la mission centrale de façonner l'enfant de telle manière qu'il acquière par lui-même des compétences morales, éthiques et sociales qui en fassent un individu en tous points conforme à l'idéal d'une démocratie tolérante, participative et pluraliste.

La pédagogie socioconstructiviste a sans doute séduit pas mal d'esprits au Québec et ailleurs pour la raison qu'elle pousse jusqu'à ses dernières limites la portée de la démocratie. Celle-ci ne vise plus seulement le régime idéal d'un État, d'une collectivité, elle englobe désormais toute l'organisation sociale, y compris l'institution où l'on forme les mineurs à la majorité. L'idée que la démocratie doit sans cesse élargir son domaine d'application, régir tous les aspects de la vie en société, est l'une des idées fortes de notre temps, qui semble aller de soi, tellement cette proposition promet un monde meilleur et semble être la seule qui puisse se réconcilier avec nos convictions démocratiques. C'est ce qu'écrit le «penseur» officiel de l'ancienne Centrale de l'enseignement du Québec (CEQ), Jocelyn Berthelot: «La démocratisation demeure une "utopie" de référence», un projet à construire en permanence et sur tous les plans, un idéal toujours en devenir[1]». Le sociologue Guy Rocher abonde dans le même sens: «Sous sa forme "réellement existante", la démocratie est toujours incomplète. Elle est donc à la fois un **fait** et un **projet**. Elle appartient au présent construit sur un passé et elle est faite d'espoirs et d'aspirations[2]». Comment être démocrate si l'on est persuadé par ailleurs que la démocratie possède des limites, n'entre

1. Jocelyn Berthelot, *Une école de son temps: un horizon démocratique pour l'école et le collège*, Montréal, Éditions Saint-Martin, 1994, p. 119.
2. Guy Rocher, «Introduction», dans Gabriel Gosselin et Claude Lessard (dir.), *Les deux principales réformes de l'éducation du Québec moderne*, Québec, Les Presses de l'Université Laval, 2007, p. 9.

pas dans certains lieux ou domaines de la vie sociale? C'est là où la pédagogie socioconstructiviste marque ses points. Elle nous dit en quelque sorte: si vous êtes démocrate, vous n'avez alors pas le choix que de consentir à notre école démocratique. C'est à cette conclusion que les commissaires des États généraux de l'éducation nous convièrent: l'école est elle-même une petite société où se déploie la démocratie. Dans leur rapport final de 1996, qui mêle confusément le vocabulaire de l'école des connaissances avec celui de la pédagogie socioconstructiviste, ils écrivirent:

> À sa façon, l'école fait naître au monde par la connaissance; mais elle est aussi elle-même un monde où naissent des citoyennes et des citoyens. C'est pourquoi elle doit devenir un lieu d'éducation civique et avoir pour projet collectif de rassembler tous les élèves, au-delà de leurs différences, mais dans le respect de celles-ci. En s'organisant elle-même comme une société, elle établira des structures qui favorisent la participation et l'exercice de la démocratie, tout en offrant aux élèves de véritables occasions d'engagement[3].

Ce passage est remarquable, en ce qu'il juxtapose les dimensions 3, 4 et 5 de l'école démocratique, en glissant de l'une à l'autre sans aucune explication. Pourtant, lorsqu'on s'y arrête, on découvre vite que l'école en tant que démocratie ne tient pas la route. D'ordinaire, la démocratie se définit notamment par un principe d'égalité entre gouvernés et gouvernants. Dans un tel régime, ceux qui sont gouvernés peuvent espérer devenir gouvernants, et ceux-ci peuvent redevenir de simples gouvernés en tout temps. Cela est vrai de la démocratie directe comme la démocratie représentative. En somme, gouvernés et gouvernants sont théoriquement interchangeables, à la différence des régimes d'aristocratie et de monarchie qui n'admettent pas cette interchangeabilité. Or l'école, quand bien ouverte, participative et progressiste qu'elle serait, ne repose pas sur l'interchangeabilité du maître et de l'élève. Le maître a beau être gentil, adorable et à l'écoute de ses élèves, il ne peut décider d'être un enfant devant ses propres pupilles dans l'attente qu'ils s'instruisent par eux-mêmes. Bien sûr, le maître peut apprendre toutes sortes de choses de ses élèves, et ces derniers peuvent faire

3. Commission des États généraux sur l'éducation, *Rénover notre système d'éducation: dix chantiers prioritaires, Rapport final*, ministère de l'Éducation, État du Québec, 1996, p. 6.

montre d'invention, d'intelligence et d'initiative. Reste toutefois un écart infranchissable entre lui et ses élèves. Ces derniers, s'ils se rebellent, mettent le maître dehors et décident de faire la loi, font alors sauter l'école dans laquelle ils ont été reçus. Il n'y a plus d'école, mais un terrain de jeu pour enfants remontés contre les adultes. Nous sommes dès lors placés devant cette alternative: ou bien l'école existe, mais en tant que non-démocratie, ou bien elle s'effondre, pour laisser place au *démos* enfant.

Mais comment une société qui porte la démocratie aux nues peut-elle concevoir que l'institution qui prépare l'enfant à sa majorité citoyenne ne soit pas elle-même une démocratie? Là réside toute la difficulté. La pédagogie socioconstructiviste a sa réponse, qui est pur miel. Elle dit: gardons les maîtres, mais appelons-les autrement. Enlevons à leur rôle et à leur titre tout ce qui peut évoquer leur différence de statut d'avec l'enfant, leur savoir avancé, leur autorité, leur ascendant. Quant à l'enfant, intronisons-le au pouvoir, en apparence du moins, en sollicitant son opinion sur tout, en lui donnant un droit de vote sur sa propre formation. Autrement dit, la classe s'assimile à une forme d'assemblée d'apprenants dont l'enseignant préside les délibérations. Cela est de la fumisterie, c'est certain. Seulement les socioconstructivistes font mouche avec leur langage, qui habille autrement les rapports maître-élève sans pour autant les modifier réellement. La démocratie va avec l'idée de progrès. L'école démocratique est la nouvelle frontière à conquérir, après le suffrage universel, les droits sociaux et l'autogestion dans les entreprises. La démocratie ne peut qu'avancer, s'étendre, agrandir son empire. Elle est comme l'univers, en expansion.

La pédagogie socioconstructiviste prospère grâce à la gêne que nous éprouvons à l'idée que la démocratie ait des limites, des zones qui lui échappent. Cette gêne est d'autant plus marquée que la démocratie est entendue aujourd'hui dans un sens très large, tant et si bien que lorsqu'on la nomme, aussitôt défile un chapelet d'idées vertueuses, désirables, enthousiasmantes. La démocratie, c'est non seulement le peuple au pouvoir, c'est aussi les droits de l'Homme, la tolérance, la diversité, le respect de l'Autre, la solidarité, l'égalité, le partage, la fraternité, l'harmonie universelle.

À ce compte, il est difficile de ne pas la désirer, d'y opposer une quelconque objection. Le concept souffre d'une telle inflation qu'il est devenu le bien suprême. C'est le stade terminal de l'histoire, l'aboutissement de la modernité. Vue en ces termes, la démocratie ne se résume plus à n'être qu'un régime de gouvernement, voire un type de société. Elle incarne une vision morale de l'existence, qui fait la synthèse du libéralisme – les droits de l'Homme et l'éthique de la discussion – et des valeurs chrétiennes. Devant un tel conglomérat d'idées généreuses, qui peut donc vouloir mettre des limites à la démocratie? Si un tel opposant existe, c'est sûrement un impie, un monstre, un facho! Imaginez un leader politique qui se lève en assemblée et déclare: «Mes chers amis, la démocratie ne saurait tout gouverner, elle s'aère grâce à des zones de non-démocratie qui l'environnent!» Le pauvre, il est aussitôt renversé, voué aux gémonies. C'est à coup sûr un disciple de Le Pen, un négationniste dont il faut fermer la trappe!

Cependant, à bien y réfléchir, il est facile de voir que ces zones de non-démocratie abondent dans nos sociétés qui ne sombrent pas pour autant dans la dictature. La famille, une salle d'opération, une entreprise, une équipe de hockey ou une troupe de théâtre ne sont pas des démocraties. Dans tous ces cas, «gouvernés» et «gouvernants» ne sont pas interchangeables, du fait d'une impossibilité organique ou de la logique de la situation. Le patient ne peut prendre la place du chirurgien, le gestionnaire, le metteur en scène ou le capitaine d'équipe décident d'une action à prendre sans devoir soumettre leur décision au veto de leur troupe. Bien sûr, il est concevable de penser à une entreprise réglée sur le modèle d'une démocratie ou à une troupe où acteurs et metteurs en scène changent continûment de rôles. Cela se discute entre adultes, entre dans l'ordre du possible, mais se fait très peu et peut-être pas assez. C'est toutefois le modèle non démocratique qui prédomine.

Seulement comme la démocratie claironnée par la pédagogie socioconstructiviste confond régime de gouvernement, libéralisme et morale, elle avance sur plusieurs terrains à la fois et sème derrière elle autant d'écrans de fumée. L'insistance qu'elle met sur le caractère égalitaire de l'enseignement et l'acquisition des valeurs et des attitudes qu'il sied d'avoir dans une démocratie révèle son véritable dessein : faire l'éducation morale des citoyens. Il n'est donc pas étonnant qu'elle se pique de programmer l'enfant, dès la pré-maternelle, afin qu'il acquière toutes les compétences requises pour devenir un parfait démocrate. La prose socioconstructiviste chérit en particulier le concept de citoyenneté, autre conglomérat d'idées généreuses, que les pédagogues ont érigée en compétence fondamentale, dont tout le reste procède. L'éducation à la citoyenneté est partout, elle prend le dessus sur l'enseignement de l'histoire, elle parcourt le nouveau programme d'éthique et de culture religieuse. Dans nos sociétés permissives, personne n'aime admettre qu'il fait la morale. On donne plutôt dans l'éthique, joli mot, qui fait savant, philosophique, que tous les pédagogues et concepteurs de programme ont à la bouche. L'éthique, c'est le fonds de commerce des philosophes, qui se voient promus à l'avant-scène, en directeurs de conscience de nos sociétés en proie à d'insolubles dilemmes moraux. Pas étonnant que l'un des plus ardents promoteurs du programme d'*Éthique et de culture religieuse* soit Georges Leroux, belle âme humaniste reconvertie à l'éthique, qui, dans son bouquin présentant des «arguments pour un programme», clame dès les premières pages sa foi en l'école en tant que démocratie. S'appuyant sur le philosophe américain John Dewey, Leroux énonce le credo du démocrate progressiste comme suit :

> [...] s'agissant de l'institution scolaire publique, elle ne peut qu'être déjà la société démocratique à laquelle elle a mission de donner ensuite accès. Elle ne saurait donc en être différente, puisque l'école est le premier espace démocratique où chacun de nous va à la rencontre de sa liberté en même temps qu'il fait l'épreuve des droits des autres. Chacun doit y être accueilli comme il espère être accueilli dans la société dont il sera un citoyen : avec ses droits et devoirs, et en tout respect de son identité[4].

Quel poème ! On voit que Leroux a en tête la vision morale de la démocratie, elle est en elle-même la «vie bonne» chère aux Grecs, par cela même qu'elle permet à toutes les conceptions du bien de dialoguer entre elles, dans un espace pacifié ressemblant à un salon de thé où chacun se passe le sucre et les pâtisseries en

4. Georges Leroux, *Éthique, culture religieuse, dialogue. Arguments pour un programme*, Montréal, Fides, 2007, p. 14.

échangeant des mots d'une exquise amabilité. Leroux dit également toute sa foi dans l'approche par compétences de la pédagogie socioconstructiviste, qui a pour ambition rien de moins que de «donner aux jeunes les moyens de se positionner face à tous les enjeux moraux de l'expérience, personnelle et sociale, qui les attend[5]». Notez le choix du vocabulaire. L'enfant n'apprend pas, il «se positionne», tel un militant dans un parti, tel un député votant un texte en chambre. En possédant tous les instruments de la «réflexion éthique», l'enfant-citoyen fera ainsi siennes les vertus de la démocratie, c'est-à-dire, selon Leroux, «tolérance, respect, recherche en commun du bien commun et des principes guidant la discussion de tous avec tous[6]». On y reconnaît là la démocratie-guimauve des champions de l'école démocratique, qui naviguent sans trop de difficulté entre le régime démocratique et le catéchisme de l'éthique pluraliste. De ce nougat moralisateur, voici un autre bel exemple, tiré d'un article de la littérature socioconstructiviste, qui nous parle même de *socio-moralisme*:

> Selon nous, le premier principe de l'éducation constructiviste est la culture d'une atmosphère socio-morale dans laquelle il s'agit de pratiquer continuellement le respect des autres, ce qui permet aux enseignants et aux enfants d'apprécier la justice et la coopération pour résoudre les conflits sociaux et moraux au sein d'une communauté basée sur l'affection[7].

Leroux nous expose éloquemment le credo démocratique de la pensée socioconstructiviste sans en dégager les ultimes conséquences. C'est un autre philosophe qui en a brillamment fait l'exposé, soit Jacques Rancière, auteur de *La Haine de la démocratie*. Chez lui, la parité maître-élève, l'égalité entre enfants et adultes n'apparaissent pas comme des incongruités ou des impossibilités. C'est au contraire la marque même de la démocratie. Toute personne qui penserait autrement est l'ennemi de la démocratie, la prend nécessairement en grippe. Pour Rancière, la démocratie ne prend pas de forme sociale ou politique particulière, elle réside dans la négation de tout pouvoir en place, de toute forme

5. *Ibid.*, p. 85.
6. *Ibid.*, p. 87.
7. Rheta De Vries, «L'éducation constructiviste à l'école maternelle et élémentaire: l'atmosphère socio-morale, premier objectif éducatif», *Revue française de pédagogie*, nº 119, 1997, p. 58.

d'autorité dérivée de la tradition ou d'un savoir. Selon le philosophe, toutes les sociétés, qu'elles soient monarchique, aristocratique ou démocratique, succombent à une triste fatalité : une oligarchie les gouverne, en prétendant posséder des titres de compétence ou de légitimité qui la fondent à se maintenir au pouvoir. Dans ces conditions, la démocratie ne peut s'exprimer que dans la négation des prétentions des biens dotés. La démocratie appartient aux sans-grade, aux sans-titre, aux incompétents, aux déshérités, aux ignorants qui n'ont rien à faire valoir à leur avantage. « Le mot de démocratie, écrit Rancière, alors ne désigne proprement ni une forme de société ni une forme de gouvernement. La "société démocratique" n'est jamais qu'une peinture de fantaisie, destinée à soutenir tel ou tel principe de bon gouvernement[8]. » Ne prenant pas de forme juridico-politique précise, la démocratie se dévoile par l'opposition des sans-grade aux bien-dotés, dans le renversement des hiérarchies et l'interchangeabilité sans limite des rôles. Si l'on suit le raisonnement de Rancière, l'école démocratique serait donc celle où la matière à enseigner, les méthodes pédagogiques et l'évaluation des apprentissages seraient déterminées par ceux-là mêmes qui sont sans titre, sans savoir, qui n'ont d'autres ressources que la fontaine débordante de leurs opinions d'enfants à opposer au maître titré. On ne s'étonnera donc pas de ce que dans son livre, Rancière égratigne l'école républicaine française et se réjouit de la ruine de l'autorité du professeur.

Là encore, Rancière avance sa pensée par de pesantes oppositions, notamment celle entre les oligarques titrés qui nous gouvernent et les sans-grade. On se demande cependant comment l'idée de démocratie pourrait survivre si n'elle n'était défendue par un régime, un État, des institutions qui, sans l'incarner parfaitement, lui confèrent une consistance plus riche que la pure négativité où Rancière confine la démocratie. Ce qui est intéressant, toutefois, dans la vision de l'auteur, n'est pas tellement la validité comme telle de sa théorie. C'est qu'une telle chose soit pensée, proclamée comme le nec plus ultra de la pensée de gauche radicale en France. Si la démocratie à l'école implique le remplacement des maîtres par les

8. Jacques Rancière, *La Haine de la démocratie*, Paris, La fabrique éditions, 2005, p. 58.

élèves, il s'ensuit probablement que l'école, en tant qu'institution, devra disparaître, car toute volonté de vouloir la maintenir sera interprétée comme la résistance du corps enseignant oligarchique à l'avènement du pouvoir enfant. La pédagogie socioconstructiviste se garde bien d'aller jusqu'à ses extrémités. D'où le fait qu'elle use constamment d'un double langage: en réalité, il faut faire comme si maître et élève étaient interchangeables, bien qu'on sache parfaitement que l'institution scolaire subsiste et distribue les rôles. Il faut quand même protéger les salaires de tous ces pédagogues, conseillers pédagogiques, professeurs en métacognition et gestion de classe, qui ne peuvent survivre que si un État quelque peu oligarchique utilise son pouvoir de commandement et de taxation pour mettre en place un système scolaire financé par tous les contribuables. De même que le très radical Rancière, en écrivant son brûlot contre les nombreux ennemis de la démocratie, omet d'indiquer qu'il faudrait peut-être fermer le ministère de l'Éducation nationale et le ministère des Finances qui lui payent ses émoluments d'intellectuel fonctionnarisé. Cette inconséquence n'est pas la première des tartufferies que les intellectuels se permettent. Elle est typique d'une certaine gauche bien pensante, encore tentée par la pensée totalitaire et binaire, qui sermonne la planète entière en s'excluant de la portée de ses admonestations.

L'école de l'autonomie radicale

L'idée de l'école démocratique avancée par les socioconstructivistes va de pair avec une conception forte de l'autonomie de l'enfant, qui le place au centre des processus d'apprentissage. Les socio-constructivistes récupèrent un idéal noble, hérité des Lumières, qui reconnaît dans l'éducation la voie royale de l'autonomie. Comme l'a souligné toutefois Olivier Roy, le paradoxe de l'éducation tient en ce qu'elle ambitionne de former des citoyens libres en employant des méthodes qui supposent la dépendance de ceux que l'on doit mener vers l'autonomie. Ainsi que l'écrit Rey: «[…] il n'y a pas d'éducation sans disciplines imposées du dehors, sans contraintes – ceux qui le nient ou bien n'éduquent pas, ou bien font pression sans s'en apercevoir […][9]». Dans *Émile ou de l'éducation*,

9. Olivier Rey, *Une folle solitude*, Paris, Seuil, 2006, p. 237.

Jean-Jacques Rousseau a exprimé en ces termes l'extrême faiblesse dans laquelle se trouve l'enfant: «Nous naissons faibles, nous avons besoin de force; nous naissons dépourvus de tout, nous avons besoin d'assistance; nous naissons stupides, nous avons besoin de jugement. Tout ce que nous n'avons pas à notre naissance et dont nous avons besoin étant grands, nous est donné par l'éducation[10].» L'éducation est donc par définition une entreprise difficile, tiraillée entre l'autonomie visée par l'éducation et la discipline que celle-ci mobilise. Cette contradiction permanente peut paraître insoutenable d'où la tentation d'y mettre fin. Les pédagogues ont pris leur parti, que Rey résume comme suit: «Les sciences de l'éducation sont animées par la tentation d'en finir avec le paradoxe, de s'exonérer du moment de contrainte en faisant en sorte que l'enfant construise son savoir et sa discipline en ne rencontrant jamais les injonctions du maître, seulement les réalités objectives du monde[11].»

Les sciences de l'éducation liquident le paradoxe par un habile stratagème conceptuel, une espèce d'épistémologie pseudo-savante qui impressionne les esprits naïfs. C'est la théorie du socioconstructivisme, inspirée des travaux du psychologue suisse Jean Piaget, qui combine une conception particulière de la connaissance et une vision morale de l'autonomie. Suivant la vision socioconstructiviste de l'éducation, l'enfant développe ses facultés intellectuelles et morales grâce principalement à l'interaction avec ses pairs, en étant placé dans des situations propices à l'apprentissage, les adultes intervenant aussi peu que possible. Dans un tel contexte, l'enfant réussirait à «construire» lui-même les éléments de son savoir, en découvrant peu à peu les règles qui marchent et celles qui ne marchent pas, par tâtonnements et ajustement mutuel avec ses congénères. En d'autres termes, l'apprentissage ressemblerait aux délibérations d'une petite république d'enfants qui jouent, s'amusent, se fichent des adultes tout en réinventant la géométrie euclidienne, la grammaire française, la géographie et l'histoire gréco-romaine. Il fallait y penser.

10. Jean-Jacques Rousseau, *Émile ou de l'éducation*, Paris, Garnier-Flammarion, 1966, p. 36-37.
11. O. Rey, *op. cit.*, p. 237-238.

À croire toutefois les penseurs du socioconstructivisme, la marque même de l'autonomie morale et intellectuelle réside dans le fait que l'enfant, si vagissant soit-il, est, à toute étape de son apprentissage, le sujet de l'acte d'apprentissage. Il est toujours actif, auteur, inventeur, à la source même de ce qu'il apprend. Toute notion n'est véritablement assimilée que s'il ne l'a produite en lui-même. D'où le vocabulaire employé par le socioconstructivisme. Bannis sont les mots d'élève et de pupille. L'enfant est un apprenant, c'est tout dire. Les socioconstructivistes aiment à distinguer les règles venues de l'extérieur et celles qui sont construites par l'enfant. Les premières, transmises par les adultes, sont associées à la passivité, au conformisme, au behaviorisme primaire. En d'autres termes, si un adulte montre à un enfant les lettres de l'alphabet, il le programme à devenir un parfait goujat! Par contre, si l'enfant découvre lui-même la règle et se donne lui-même ses propres raisons de la suivre, alors il deviendra un libre penseur, un être épanoui, un citoyen actif. La pédagogie socioconstructiviste pousse même le fantasme de la construction de la connaissance par soi-même jusqu'à voir dans l'enfant un « individu métacognitif », capable, à toutes les étapes de l'apprentissage, de « s'autoévaluer et de s'interroger », bref de faire le point sur sa « démarche mentale[12] ».

Ainsi que l'a souligné Michel Le Du, les sciences de l'éducation promeuvent une conception mythologique de l'autonomie, qui aboutit à une conception fallacieuse de la connaissance[13]. En effet, le socioconstructivisme est une forme de délire verbal suivant lequel le sujet connaissant est à ce point libre qu'il peut 1) construire les règles de son savoir, c'est-à-dire les inventer et les reconnaître comme telles ; 2) une fois ces règles posées par lui, les interpréter à sa guise. On se demande par quel procédé de génération spontanée un enfant, sur la base d'une telle liberté démiurgique, peut apprendre la grammaire, les mathématiques, les rudiments de l'économie et de la physique ainsi que l'histoire de son pays. On

12. Louise Lafortune et Colette Deaudelin, Accompagnement socioconstructiviste. *Pour s'approprier une réforme en éducation*, Sainte-Foy, Presses de l'Université du Québec, 2001, p. 37-39.

13. Michel Le Du, « Le constructivisme comme mythologie », *Revue de métaphysique et de morale*, nº 4, 2007, p. 449-468.

se demande aussi comment un enfant peut apprendre à distinguer le vrai du faux, le raisonnement juste du paralogisme, la bonne application de la règle de la mauvaise. Le socioconstructivisme fantasme un univers subjectif clos dans lequel l'enfant rumine ses propres représentations de la réalité, sans que l'on sache ce qui se passe dans sa tête, ce que reconnaissent implicitement deux avocates du socioconstructivisme, Louise Lafortune et Colette Deaudelin : « Quelle que soit l'approche pédagogique utilisée, l'apprenant ou l'apprenante construit et structure ses connaissances sans nécessairement leur donner le sens qu'on voudrait qu'il leur soit donné[14]. » Cette théorie pédagogique n'arrive pas à comprendre le fait que de reconnaître quelque chose comme une règle implique que l'on reconnaisse en dehors de soi cette « chose » comme préexistante, indépendante du sujet. La mission de l'éducation est justement de mettre l'enfant en présence de ces notions, règles préexistantes, inscrites dans des traditions de pensée, des acquis culturels que l'enfant peut ensuite s'approprier, en apprenant à en user correctement, en découvrant les interprétations justes. Petit à petit, par la maîtrise des règles et des connaissances socialement réputées comme indispensables, l'enfant progressera dans les voies de l'autonomie. En somme, comme le souligne Le Du, pas de règle sans normativité qui la précède. L'algèbre et l'accord du participe passé ne sont pas des règles qui poussent dans des terrains de jeu. Le Du résume en ces termes la présomption mythologique du socioconstructivisme : « s'il est bien vrai qu'être autonome implique de se donner des règles, cette autonomie ne va pas jusqu'à constituer un pouvoir par lequel je décide de ce que je me fais dire par la règle, elle ne fait pas de moi son auteur[15] ». Poussé jusqu'à ses conséquences ultimes, le socioconstructivisme revient à dire que l'enfant parle essentiellement un langage privé, sans contrôle extérieur à lui. Ce faisant, cette théorie pédagogique succombe au fantasme de l'autoengendrement. L'enfant se construit lui-même comme les vérités qu'il fait entrer dans son cerveau[16].

---

14. L. Laforturne et C. Deaudelin, *op. cit.*, p. 24.
15. M. Le Du, *op. cit.*, p. 458.
16. Ce fantasme est omniprésent dans la culture contemporaine, tel que l'a démontré Olivier Rey.

Pour mettre en chantier leur projet d'autonomie radicale, les sciences de l'éducation opèrent un déplacement sémantique en substituant à la «transmission des connaissances» l'auto-développement des compétences. Ce glissement sémantique n'est pas innocent. Les connaissances connotent justement l'idée d'un ensemble de vérités, de propositions, de règles, de résultats établis, qui précèdent l'enfant, accumulés par le travail anonyme des siècles. Les connaissances renvoient à tout ce qui n'est pas soi, en dehors de sa subjectivité, et qui a été soumis à la vérification permanente des esprits critiques. Pour la vision radicale de l'autonomie, c'est trop. C'est un rappel fastidieux de tout ce que l'enfant devra apprendre en dépit de ses envies et de ses besoins immédiats. Et ce rappel est d'autant plus intenable que les connaissances sont transmises, ce qui fait apparaître un adulte qui sait devant un plus jeune qui ne sait pas. Les connaissances prospèrent dans un monde d'inégalités: certains savent beaucoup, d'autres sont des cruches. La transmission, vue sous l'angle de l'autonomie radicale, est un déni d'autonomie. C'est une forme de dictature paternaliste, qu'il s'agit de renverser. Dans l'énoncé de politique de 1997 de Pauline Marois, on va même jusqu'à opposer une «pédagogie de la consommation des connaissances» à une «pédagogie de la découverte et de la production[17]». Acquérir des connaissances, c'est du consumérisme!

Pour mener à bien cette révolution, les sciences de l'éducation ont jeté leur dévolu sur un concept qui a fait florès: les compétences. Comme idée de marketique, c'est génial. Qui ne veut être compétent dans nos sociétés hypercapitalistes où domine la loi de la concurrence généralisée? Le concept de savoir, quant à lui, explose. Au savoir classique, les pédagogues opposent le «savoir-être», le «savoir-avoir», le «savoir-faire», le «savoir se situer», le «savoir-créer», le «savoir-devenir», le «savoir-inventer»... Dans l'univers des compétences, les plus fondamentales sont celles qui sont qualifiées de «transversales». Celles-ci sont intellectuelles, méthodologiques, socio-morales et linguistiques. Comme elles touchent à plusieurs disciplines, elles les «traversent» et les survolent. En fait, les pédagogues usent du concept de compétence à toutes les sauces. Dans son *Dictionnaire*

17. *L'école, tout un programme. Énoncé de politique éducative*, ministère de l'Éducation, État du Québec, 1997, p. 15.

actuel de l'éducation, Renald Legendre décline trente-deux formes de compétences[18]. Cette réorganisation des savoirs fonde des pédagogues à penser que l'enseignement par disciplines est révolu, que celles-ci peuvent être remodelées, redivisées, en fonction des compétences inscrites dans les programmes d'études. Malheur aux dinosaures qui s'accrochent aux vieilles disciplines de l'esprit. Revient-il aux pédagogues de refaçonner les divisions traditionnelles du savoir, de donner des instructions aux sciences naturelles et humaines, aux lettres, aux arts et à la philosophie sur la manière d'organiser les connaissances? La pédagogie serait donc la science des sciences? En France, le sociologue Jean-Pierre Le Goff a mis en évidence la similarité des concepts et des modes de raisonnement de la pédagogie et du management. Dans les deux «disciplines», on s'amuse à prendre un concept général de compétence qu'on subdivise ensuite en catégories aussi nombreuses que ce que réclame l'imagination du pédagogue ou du manager. C'est ce que Le Goff appelle la «pensée gigogne[19]».

La pédagogie «de la découverte et de la production de compétences» flatte sans doute la soif d'autonomie de notre époque en laissant miroiter un apprentissage sans peine débarrassé des affres de la mémorisation et du bachotage, qui insiste sur la maîtrise effective de notions utiles, assimilées de telle manière que l'apprenant puisse s'en servir. La compétence, c'est l'apprentissage intériorisé, digéré, intégré, confondu à la personne. Ce qui compte, ce n'est pas la maîtrise d'un savoir établi en vérité, inséré dans une tradition préexistante. C'est plutôt la maîtrise de procédés, d'attitudes, de techniques de résolution de problème qui fonctionnent. Un dictionnaire de pédagogie définit comme suit le concept: «La compétence est la caractéristique positive d'un individu témoignant de sa capacité à accomplir certaines tâches[20]». Cela nous amène

18. Renald Legendre, *Dictionnaire actuel de l'éducation*, 3e édition, Montréal, Guérin, 2005.
19. Jean-Pierre Le Goff, *La barbarie douce*, Paris, La Découverte, 1999, p. 30.
20. Michel Huteau, «Compétence», dans Philippe Champy et Christiane Étévé (dirs.), *Dictionnaire encyclopédique de l'éducation et de la formation*, 3e édition, Paris, Retz édition, 2005, p. 197. Autre définition éloquente du concept de compétence qui est, selon L. D'Hainaut: «un ensemble de savoirs, savoir-faire et savoir-être qui permet d'exercer convenablement un rôle, une fonction ou une activité. Convenablement signifie ici que le traitement des situations aboutira au résultat

vers un nouveau terrain. La pédagogie socioconstructiviste triche avec l'idéal d'autonomie venu des Lumières: elle abandonne l'idéal de l'émancipation individuelle par la conquête de la raison pour adopter une vision comportementale de l'enseignement, qui insiste sur l'acquisition de compétences conformes aux attentes du milieu ou de l'organisation. Cependant, la pédagogie socioconstructiviste d'inspiration managériale sait camoufler ses véritables intentions. Elle brouille ses ambitions behavioristes en insistant sur l'idée d'autoévaluation. Dans toutes les étapes de l'apprentissage, l'enfant est invité à s'évaluer lui-même, à avouer lui-même ses erreurs et ses fautes de comportement, sans que l'enseignant intervienne pour les sanctionner. Elle vise en quelque sorte une forme de contrôle social invisible grâce auquel l'enfant intériorise la norme et les attentes du milieu en se persuadant d'y avoir lui-même consenti. Ainsi que le remarque Le Goff: «Dans le même temps, où la contrainte externe est évacuée du discours, elle est réintroduite implicitement dans des pratiques qui prennent alors des allures de manipulation. Là aussi, comme le management moderniste, on entend procéder par imprégnation et intériorisation des normes, et on mettra tout en œuvre pour recueillir une parole qui soit le signe de l'assentiment de l'individu[21]». Au fond, pour reprendre une expression de Normand Baillargeon, la pédagogie rêve de perpétrer le crime parfait, la victime, d'une part, ne sachant pas qu'elle est l'objet d'un attentat, et, d'autre part, se croyant responsable de tout ce qui lui arrive[22]. Par le truchement de cette pédagogie manipulatrice, qui entretient l'illusion d'une autonomie démiurgique et substitue les compétences aux connaissances, l'école devient un centre de production d'individus en série, normalisés, formatés, homologués qui font exactement ce que l'on attend d'eux en croyant être les auteurs de leurs pensées et de leurs actions.

L'école des connaissances avait certes quelque chose de haïssable, et nous en savons tous de quoi il retourne pour avoir séjourné

espéré par celui qui les traite ou à un résultat optimal.» Voir Françoise Raynald et Alain Rieunier, *Pédagogie: dictionnaire des concepts clés. Apprentissages, formation, psychologie cognitive*, 5e éd., Paris, ESF éditeur, 2005, p. 77.

21. J.P. Le Goff, *op. cit.*, p. 51.
22. Normand Baillargeon, «Le crime parfait», *Le Devoir*, 9 juin 2005.

longtemps dans cette institution. Ce que nous oublions toutefois de reconnaître, c'est que ce côté haïssable, qui nous a insupporté de la maternelle jusqu'à l'université pour plusieurs, est le signe que nous sommes des êtres libres, au potentiel indéterminé, capables de réflexions autonomes et de prise de distance vis-à-vis de ce qui est transmis comme véridique et universel. À force d'avoir appris à user des règles et des résultats consacrés par les disciplines du savoir, on finit par savoir jouer avec ces beaux instruments et par vouloir jouer sa propre musique, distincte de celle du maître. Plus l'écart grandit, plus les connaissances du maître paraissent déconnectées de la réalité, surannées ou ennuyeuses. Et l'élève découvre son propre pouvoir: celui d'opposer au maître le langage de la vérité. Si ce dernier se trompe, manque de précision ou tord les concepts, l'élève a beau jeu de lui reprocher son manquement à la vérité, de lui servir la médecine que le maître lui a si longtemps assénée. Le rapport de vérité garantit la liberté de l'un et de l'autre. Le maître ne peut contraindre l'élève à s'imprégner de notions au-delà de ce que la vérité autorise; et ce dernier peut résister au maître, s'il sait s'appuyer sur des arguments vrais et crédibles. L'école des connaissances, qu'on peut certes taxer de dirigiste, présuppose la liberté de l'enfant; l'école des compétences, non. Elle ne dirige pas, elle manipule.

De plus, les sciences de l'éducation ont un agenda essentiellement antihumaniste. Leur ambition est d'objectiver chacun des aspects de l'apprentissage afin de mettre au point des procédés pédagogiques capables d'induire chez les «apprenants» les comportements conformes aux attentes de la société. Dans leur schéma d'analyse, il n'y a pas de place pour la liberté. L'enfant est un pur objet, une machine apprenante, et l'enseignant, qui traditionnellement croyait posséder un art, devient un technicien appliquant les protocoles pédagogiques. Olivier Rey a résumé en ces termes les contrastes entre l'école des connaissances et celle de la nouvelle pédagogie: «L'éducation traditionnelle était dirigiste parce qu'elle reconnaissait en l'enfant une puissance rétive, une résistance, et donc un certain degré d'autonomie – qu'elle risquait d'étouffer. L'éducation des sciences de l'éducation, qui reconnaît en l'enfant une personne dont elle entend cultiver l'autonomie, prétend en même temps connaître objectivement l'enfant, dont l'autonomie apparaît ainsi purement fictive[23] ».

En finir avec le pasteur et la culture seconde

La pédagogie socioconstructiviste a pu berner des esprits par sa conception radicale de l'autonomie. Elle séduit aussi parce qu'elle repousse le maître, en rogne l'autorité, si elle ne le fait pas carrément disparaître. Elle offre l'apparence d'un discours libertaire, qui installe dans les classes des démocraties d'enfants qui s'autogouvernent. Le concept même de maître est proscrit, comme le rapport vertical et surplombant qu'il entretenait avec ses élèves. Force est de reconnaître que cette vision des choses n'est pas le propre des facultés de pédagogie. Elle est dans l'air du temps. Au projet fou des pédagogues d'ériger l'élève en juge et maître de ses apprentissages par l'autoconstruction, répond par exemple l'ambition de l'encyclopédie en ligne Wikipédia de faire de n'importe quel internaute un producteur autonome de savoir, qui se publie, s'insère dans les sédiments du savoir sans le secours d'un maître et du jugement. C'est une forme de solipsisme grégaire[24]. La volonté d'en finir avec les intermédiaires est l'un des traits de notre culture qui se manifeste dans plusieurs autres domaines d'activités. Dans le monde du commerce, cela a donné e-Bay et Walmart, le géant américain du commerce au détail, qui a fait fortune en appliquant ce principe : éliminer autant que possible les intermédiaires (notamment les salariés et les petits commerçants). On ne compte plus les magasins libre-service ou qui vendent des articles que l'on monte soi-même. Ce sont les religions sans clergé ou dont la hiérarchie paraît légère (islam, protestantisme) qui ont la cote, le catholicisme étant mis sur la défensive, sommé de justifier les prérogatives d'un clergé dirigé par un monarque absolu. Bref, si l'on peut faire l'économie d'un intermédiaire, que ce soit pour le commerce, le savoir ou la foi, on agit alors par soi-même sans complexe. Dans la sphère philosophique se profile le soupçon permanent à l'égard de la figure du pasteur. Nietzsche a défendu

23. O. Rey, *op. cit.*, p. 239-240.
24. Sur cette question, voir Marc Foglia, *Wikipédia. Média de la connaissance démocratique ?*, Limoges (France), FYP éditions, 2008, p. 146-149.

un type de messie nouveau, Zarathoustra, qui refuserait de se comporter comme un berger ou un chien à l'égard d'un troupeau et qui fonderait une communauté hostile au prêche[25]. Le «meurtre du pasteur» est un thème dont se régale d'ailleurs la philosophie politique contemporaine[26]. Jacques Rancière lui-même a perpétré son *petit* meurtre du pasteur, soit l'annonce, comme une bonne nouvelle philosophique, de ce que le meilleur maître est celui qui n'enseigne rien, devant l'égalité fondamentale de toutes les intelligences[27].

À la différence de *e-Bay* et de *Wikipédia*, la pédagogie socio-constructiviste ne parvient pas à éliminer l'intermédiaire. Elle réussit toutefois à en amoindrir le prestige et à le priver de ses moyens. Elle lui enlève l'autorité du savoir. Les titulaires d'un baccalauréat de pédagogie sortent avec très peu de connaissances disciplinaires en poche. Tout leur pouvoir est censé être dérivé de leur connaissance de la psychologie de l'enfant et des techniques d'enseignement et de gestion de classe. L'enseignant devient une «personne accompagnatrice», qui se définit non plus comme quelqu'un qui sait mais comme une personne qui cherche[28]. Dans ces facultés, ils ont appris que les méthodes magistrales ou directes sont à proscrire et qu'ils doivent laisser place aux méthodes participatives, par imprégnation, à la libre découverte, à la création d'un «climat affectif favorisant la coconstruction des connaissances[29]». Ils apprennent à appliquer des programmes, à décoder des directives ministérielles, à faire de jolis diagrammes dessinant la constellation des compétences. L'épistémologie radicale à la base de la pédagogie socioconstructiviste fait de l'enseignant un être prisonnier de sa subjectivité, manipulant des mots qui n'ont pas de sens en eux-mêmes et qui, partant, ne peut rien transmettre à l'enfant. Lisons à ce sujet Richard Pallascio: «L'adoption d'une position selon laquelle les mots n'ont pas de signification en eux-mêmes a pour

25. Philippe Büttgen, «Un nouveau pastorat?», *Revue de métaphysique et de morale*, nº 4, 2007, p. 477.
26. Benny Lévy, *Le meurtre du Pasteur*, Paris, Grasset-Verdier, 2002.
27. Jacques Rancière, *Le maître ignorant*, Paris, Fayard, 1987.
28. L. Lafortune et C. Deaudelin, *op. cit.*, p. 28.
29. *Ibid.*, p. 29.

conséquence que le savoir ne peut être transféré tout élaboré de l'enseignant à l'élève par le langage écrit ou parlé, mais qu'il doit être reconstruit activement par chaque élève[30] ». Le grand prêtre du constructivisme radical, Ernst von Glasersfeld, proclame que la « notion de transmission est illusoire ». Il écrit, en effet : « [...] le point de vue constructiviste s'oppose diamétralement à la tradition selon laquelle la communication langagière est un moyen de "transport" des connaissances, tradition selon laquelle on peut, en parlant, faire passer des idées ou des connaissances, c'est-à-dire des structures conceptuelles, d'une personne à une autre[31] ». Si le savoir est intransmissible en raison de l'incommunicabilité structurelle ou cognitive où est plongé chaque locuteur, l'enseignant est alors un pauvre type cloîtré dans son savoir – s'il en a –, un autiste qui baigne dans sa soupe mentale, une intelligence verrouillée dans le scaphandre du langage. À quoi bon être Léonard de Vinci ou Pic de la Mirandole. Être savant ne donne rien à l'enseignant. Le savoir accroît la souffrance de l'incommunication.

Les pédagogues rejettent généralement le concept de transmission en raison de la vision supposément simpliste et réductrice de l'enseignement qu'elle implique. Ce qu'ils écartent comme insignifiante, c'est leur propre lecture du concept, car ils l'interprètent généralement de manière très mécaniste ou cybernétique. Pour eux, la transmission se ramène au modèle 101 de la communication avec un émetteur et un récepteur ou à la mécanique des fluides. Renald Legendre oppose la « pédagogie de l'ordre mécanique » de la pédagogie traditionnelle axée sur la transmission de la culture à la « pédagogie de l'ordre spontané » de la pédagogie nouvelle[32]. (Les pédagogues sont-ils des néo-libéraux qui s'ignorent, liraient-ils Friedrich von Hayek en cachette ?) Dans son dictionnaire de

30. Richard Pallascio, « Constructivisme/socioconstructivisme », dans Philippe Jonnaert et Domenico Masciotra (dirs.), *Constructivisme choix contemporains. Hommage à Ernst von Glasersfeld*, Sainte-Foy, Presses de l'Université du Québec, 2004, p. 180.
31. Ernst von Glaserfeld, « Pourquoi le constructivisme doit-il être radical ? », dans Philippe Jonnaert et Domenico Masciotra (dirs.), *Constructivisme choix contemporains. Hommage à Ernst von Glasersfeld*, p. 150.
32. Voir son éloquent tableau, R. Legendre, *op. cit.*, p. 1400.

1554 pages, Renald Legendre consacre à peine deux lignes à la transmission, qu'il définit comme suit:

> Doc./Gest. App. Communication d'informations par le biais (sic) du bulletin scolaire_ MEQ, D.G.D.P.: D.E.P. (03.84): communication d'informations généralement effectuée par un rapport écrit d'évaluation_ MEQ: D.G.E. (07.85)[33].

Comme exemple de pensée technocratique indigeste, il n'y a pas mieux. La transmission, réduite à n'être plus qu'un concept de la communication bureaucratique!

Or, le verbe transmettre, du latin *transmettere*, a depuis longtemps un sens spirituel, qui signifie faire passer, une foi, une doctrine, un héritage. Prise dans ce sens, la transmission se rattache à la filiation, à la longue chaîne des générations qui patiemment, une à une, roulent la pierre du savoir accumulé, filtré, rabâché, bonifié par le temps. «Faire passer» quelque chose ne veut donc pas dire nécessairement transmettre des données, à la manière de deux ordinateurs interconnectés, comme se l'imaginent certains pédagogues incultes. Cela implique plutôt un mouvement de l'esprit qui continue une chaîne, une œuvre, une intention ou une ambition qui précède celui qui fait passer. Cela implique aussi que celui qui fait passer sait à quelle chaîne il ajoute son propre maillon et qu'il a conscience que le mouvement qu'il perpétue peut se perdre, que le lien peut se briser par sa faute. Le transmetteur a certes un pouvoir, un avantage que n'a pas l'enfant, mais «faire passer» exige de l'enseignant beaucoup d'humilité, car ce qu'il accomplit n'est pas entièrement de son ressort. Il y a donc dans la transmission la conscience du transmetteur, sa responsabilité et son humilité. Toutes des «vertus» centrales qui sont évacuées par les pédagogues obnubilés par le caractère «subjectif» et «construit» de l'acte de connaissance.

À ce compte, l'enseignant qui ne transmet rien et qui en est réduit à orienter, par quelques techniques manipulatrices, les constructions de sens de ses apprenants, joue un rôle peu reluisant. Qui voudrait exercer un tel métier? En France, du maître, figure centrale de l'école républicaine, les pédagogues ont célébré la disparition ou le dépassement car à leurs yeux, le maître est un

33. *Ibid.*, p. 1405.

agent d'autorité d'une institution disciplinaire où se reproduisent les divisions sociales[34]. Au Québec, où la culture républicaine en éducation n'a pas vraiment pris racine, on est passé du cléricalisme scolaire au corporatisme des facultés de pédagogie, protégées par un monopole d'État. Le métier d'éducateur a perdu beaucoup de son lustre; les facultés de pédagogie recrutent parmi les moins bons candidats, le taux de décrochage des enseignants est élevé, l'épuisement professionnel et la détresse psychologique sont monnaie courante[35]. Quel homme ou femme de bon sens voudrait d'un métier qui consiste à clamer en classe, devant des tout-petits: «Je ne suis rien. Je ne puis rien faire pour vous.»? Bien que la pédagogie nouvelle prêche l'impuissance du maître à transmettre quoi que ce soit ou neutralise le concept même de transmission, il reste que le maître destitué ne se tourne pas les pouces. Il consacre une bonne part de son temps à multiplier les évaluations des apprentissages de ses élèves, conformément aux directives ministérielles et aux sermons des conseillers pédagogiques. Le maître qui «guide, conseille, éveille l'enfant au savoir[36]» est une courroie de transmission du *complexe pédagogo-ministériel*.

Non contente d'avoir perpétré à sa façon le meurtre du pasteur, la pédagogie socioconstructiviste s'attaque à un autre aspect central de la transmission, soit à l'objet même de celle-ci. Admettons que la pédagogie des compétences finisse par faire susciter, par ordre spontané, des bribes de connaissance, appropriées par des apprenants actifs gazouillant de plaisir. Mais «apprendre à apprendre» est-ce glaner çà et là des morceaux de savoir que l'enfant sélectionne et intègre en relation avec ses besoins, ses intérêts et les éléments disponibles de son environnement immédiat? Un des aspects de l'instruction publique classique que la pédagogie nouvelle sape est la distinction entre le primaire et le secondaire. Par culture primaire, on peut entendre

34. Pour un bel exemple de cette vision du maître comme rouage d'une institution de pouvoir, voir la définition de la classe, «espace sociopolitique», figurant dans cet essai préfacé par Philippe Meirieu. Dominique Cachelard, *Transformer l'école*, Lyon, Chronique sociale, 2008, p. 17. Sur l'école comme lieu disciplinaire de domination, voir aussi Michel Foucault, *«Il faut défendre la société» Cours au Collège de France, (1975-1976)*, Paris, Seuil/Gallimard, 1997, p. 39.

35. Sur ce dernier point, voir Jocelyn Berthelot, *Une école pour le monde, une école pour tout le monde*, Montréal, VLB éditeur, 2006, p. 167.

36. *Ibid.*, p. 1400.

l'enseignement des rudiments du langage et de l'arithmétique, lire, écrire, compter. Celle-ci transmet la culture première, proche de l'environnement ou de la communauté de l'enfant. La culture seconde, transmise au cycle secondaire d'étude, vise à initier l'enfant au monde de l'esprit, de la haute culture, par un effort réflexif encadré par la connaissance des grandes œuvres et des savoirs consacrés par les arts et les sciences. En France, le primat du secondaire sur le primaire a été longtemps l'un des fondements de l'école républicaine issue de la IIIe république[37]. Au Québec, la distinction entre les deux cultures s'est maintenue par l'institution du cours classique, abolie dans les années 1960. Comme l'a remarqué Jean Gould, le rapport Parent, en préconisant d'une «école secondaire pour tous», polyvalente, qui préparerait l'enfant à toutes les filières, technique, professionnelle ou universitaire, sacrifia l'enseignement secondaire à la formation de la main-d'œuvre en fonction des besoins de la société[38]. Désormais, la formation secondaire s'apparenterait à une formation primaire prolongée. Les auteurs du rapport Parent n'avaient toutefois pas abandonné l'idée qu'une quelconque transmission de la culture seconde se perpétuerait dans l'école rénovée québécoise. Ils recommandèrent naïvement que les étudiants du secondaire ne lisent pas moins de trente livres par année, qu'ils possèdent un exemple du *Bon usage* de Grevisse et le maintien d'un enseignement optionnel du grec et du latin[39]. Ces recommandations s'avérèrent des vœux pieux, et la nouvelle pédagogie socioconstructiviste relégua la culture seconde au niveau collégial (CÉGEP) et à l'université.

On voit aisément que la distinction entre la culture primaire et la culture secondaire et le primat de cette première sur la première sont tout à fait étrangers à la pédagogie nouvelle. C'est un vrai réquisitoire qu'elle dresse contre la vieille pédagogie, accusée d'imposer aux enfants une culture «objective» devant mouler l'enfant, sans faire cas de ses besoins et de ses intérêts réels. L'école de la culture secondaire est désincarnée, idéaliste, élitiste, prépare mal enfant

37. Philippe Raynaud et Paul Thibaud, *La fin de l'école républicaine*, Paris, Calmann-Lévy, 1990, p. 29.
38. Jean Gould, «La formation des maîtres du secondaire ou comment avancer en arrière», dans Gilles Gagné (dir.), *Main basse sur l'éducation*, Montréal, Éditions Nota bene, 1999, p. 134-150.
39. *Ibid.*, p. 142.

aux réalités du marché du travail, inflige à l'enfant des réalités trop distantes de son vécu qui le briment dans l'expression de sa spontanéité. La culture secondaire nage dans l'abstrait, la nouvelle pédagogie part du concret, propose à l'enfant des problèmes réels à résoudre, non des formules ou des problèmes artificiels légués par des esprits défunts. Ce discours, on ne peut le nier, plaît; il est davantage entendu que celui des belles âmes mortes de chagrin dans le naufrage de la grande culture désertée par les masses.

L'engouement pour ce discours réfractaire à la culture secondaire s'explique sans doute par la crise générale de la représentation que semblent traverser les sociétés occidentales. Ce n'est pas seulement la médiation qui ne passe pas, c'est carrément la perpétuation d'un ordre symbolique secondaire contenant le désordre des affects, des pulsions et des désirs humains qui n'apparaît plus comme une entreprise évidente. Ce mouvement d'ensemble s'observe en arts, en littérature, dans les médias, en politique; la mise à distance de la vie vécue par l'ordre du symbole, de la représentation sémiotique ou politique bute sur la résistance du représenté, du consommateur qui rêvent d'une emprise directe sur eux-mêmes et le monde. Ainsi que l'écrit Daniel Bougnoux, «la conquête sémiotique accomplit la conquête culturelle par excellence, mais elle n'est pas aimée quand elle entraîne mélancolie, impatience ou lassitude[40]». L'époque est lasse de cette conquête. Les pédagogues l'ont parfaitement compris.

Il y a aussi que l'idéal de la culture seconde se réconcilie mal avec la démocratie, lorsqu'on la définit comme le font Rancière et tutti quanti. Cet idéal nourrit plus de correspondances intimes avec la société aristocratique. On le voit limpidement dans les analyses que fit Tocqueville de la culture et des arts dans la société démocratique américaine. On y lit l'effroi d'un aristocrate voyant l'utile, le prosaïque, la mollesse des descriptions, le culte du présent, la reproduction du vécu prendre le dessus sur le raffinement, la délicatesse, la vénération du passé et la poursuite d'idéaux altiers de la société dont il était lui-même issu. L'école républicaine française a poursuivi l'ambition de maintenir la culture

40. Daniel Bougnoux, *La crise de la représentation*, Paris, La Découverte, 2006, p. 12.

aristocratique en la rendant accessible à tous les pupilles de la nation. La haute culture pour tous ceux qui en ont les capacités! En ce sens, le primat de la culture secondaire sur la culture primaire constituait une forme d'idéal mixte, empruntant à l'aristocratie et à la démocratie. Au Québec, c'est l'Église qui a perpétué l'héritage mixte de la culture secondaire. En prenant la place de l'Église, l'État québécois a abandonné cette tâche à quelques écoles privées, sans mandater son réseau public de la mission de la remplir.

Un des faits sociologiques les plus intrigants est que ce sont ceux-là même qui ont bénéficié de cette culture secondaire qui ont programmé sa disparition. On ne se surprendra nullement de ce que le milieu scolaire soit idéologiquement surtout à gauche. Jusque dans les années 1980, la gauche scolaire s'est réclamée à cor et à cri du marxisme. L'école était le lieu même de la lutte des classes, de la reproduction des élites bourgeoises. Par amalgame, le caractère autoritaire, rigide, désincarné reproché à l'école traditionnelle devenait un attribut bourgeois à renverser. L'émancipation du prolétariat passait par celle du peuple étudiant, aliéné par un enseignement moutonnier et éloigné des forces vives de la jeunesse. Ceux qui ont accompli leur révolution pédagogique se trouvent toutefois dans la position de leurs maîtres d'antan qu'ils vouaient aux gémonies. Ils sont devenus les nouveaux bourgeois installés dans leur appareil d'État, se délivrant à répétition des satisfecit. Cette mutation culturelle entraîne la condamnation de la culture secondaire, car en réalité, la pensée bourgeoise, décriée depuis si longtemps par l'avant-garde artistique, s'est généralisée à l'ensemble des nouvelles élites nées de la société post-industrielle. Jadis associée à l'austérité, l'économie, la contention morale, le travail, le sacrifice, la bourgeoisie s'est décontractée progressivement au cours des années. Aux États-Unis, David Brooks a décrit avec drôlerie l'ascension de cette nouvelle élite socioculturelle qui conserve avec quelques adaptations l'esprit du capitalisme des grandes familles patriciennes pour y greffer l'esprit libertaire, contestataire, jouisseur de la bohème artistique. Il a inventé l'acronyme «bobos» pour désigner ces bourgeois bohèmes avides de sensations fortes, d'innovations et d'authenticité[41]. On pense aussitôt aux baby-boomers québécois de la génération lyrique ou aux soixante-huitards français. La conséquence de cette mutation sociologique est que la culture secondaire n'a plus véritablement d'élite sociale vouée à sa perpétuation. La possession de cette culture secondaire n'est pas un signe distinctif de réussite sociale, la voie obligée d'accession au pouvoir et à la considération. Au contraire, à moins d'être né dans une bonne famille et d'avoir de la fortune, on se dédie à la haute culture non sans se condamner à la pauvreté et à des joies silencieuses et ingrates. Les entrepreneurs des mondes économique et culturel, si riches et puissants qu'ils deviennent, affectent d'afficher leur côté «cool» et démocratique et usent d'un langage faussement révolutionnaire pour mousser leurs produits ou fouetter l'ardeur de leurs troupes. Comme l'a très saisi Jacques Ellul à l'aube de mai 1968:

> Le bourgeois [...] revêt un caractère assez général de notre temps: il est attiré par l'idée de rénover entièrement toute chose. Il vit, selon la formule de R.J. Lifton, «sur le mode transformateur, mais en même temps sur le mode restaurateur» – à la fois il reprend tout pour l'assumer, et prétend tout transformer. Ne rien laisser perdre, tout gagner, tout garder, et du tout faire un ensemble contemporain complètement nouveau[42].

En somme, le bobo est un bourgeois qui veut jouer au révolutionnaire, faire prolétaire ou artiste, tout en conservant les privilèges et le pouvoir que lui confère sa position dominante dans une société capitaliste. Ellul ajoute que le «premier résultat permanent de l'œuvre bourgeoise [...] c'est la transformation de toute œuvre, toute institution, toute activité, toute valeur, la vie même en spectacle[43]». L'école de la pédagogie nouvelle offre à tous les bobos le spectacle de la liberté dont ils se sont enivrés et dont ils croient être les magnanimes donateurs à leur progéniture modelée à leur image. Que cette école soit un échec, accroisse les inégalités, fasse baisser le niveau, beaucoup d'entre eux s'en foutent, pourvu que le spectacle soit bon.

41. David Brooks, *Les Bobos*, Paris, Le livre de poche, 2000, 314 p.
42. Jacques Ellul, *Métamorphose du bourgeois*, Paris, La Table Ronde, 1967, p. 129.
43. *Ibid.*, p. 178.

La connaissance inutile, *bis*

L'essayiste Jean Larose a déjà écrit que «les sciences de l'éducation avaient fait autant de tort au Québec que le communisme à l'Europe de l'Est[44]». Dans le texte «Le vertige en héritage», il est revenu sur cette affirmation pour y préciser qu'il avait quelque peu grossi le trait, l'exagération agissant souvent comme révélateur. Il écrit:

> Le grand espoir, la grande promesse des sciences de l'éducation, qui fut de réunir démocratie et éducation, a été trahie d'une manière analogue à la trahison de l'espoir démocratique par les régimes centralistes démocratiques: la rupture avec l'établissement s'est transformée en établissement de la rupture. Mais n'abusons pas du rapprochement; pour sa part, le communisme a cessé de nuire à l'Europe[45].

Larose a parfaitement bien vu que la force de conviction des sciences de l'éducation résidait dans la promesse de faire advenir la démocratie par une école nouvelle, une idée puissante, que de prime abord on voudrait embrasser sans recul tellement elle recèle de perspectives mirifiques qui sont la peinture même de l'Homme moderne et libre, affranchi du préjugé. L'analogie tirée entre les sciences de l'éducation et le communisme est également très juste, quoique Larose en réduise la portée. La trahison de l'espoir démocratique n'est pas le seul trait qui rapproche ces pseudosciences du communisme. Il y a aussi le rapport particulier à la vérité que les unes et l'autre ont entretenu, qui subordonne la connaissance des faits et la prise sur le réel à l'intégrité du dogme. Sciences de l'éducation et communisme militant sont tous deux des discours idéologiques pétris d'orthodoxie. Dans son essai magistral *La Connaissance inutile*, Jean-François Revel a montré comment l'emprise du communisme sur les intellectuels européens a complètement faussé leur jugement et anesthésié leur honnêteté. Pour nombre d'entre eux, au nom de grands idéaux, trafiquer la vérité, mépriser souverainement les faits dérangeants et ignorer la contradiction se justifiaient sans scrupules, du moment que la pureté de la doctrine fût sauve. De l'intellectuel, Revel a brossé un portrait pessimiste. Il écrit:

44. Jean Larose, «Le vertige en héritage», dans Gilles Gagné (dir.), *op. cit.*, p. 58.
45. *Ibid.*, p. 58-59.

> L'idéologie fait naturellement plus de ravage chez l'intellectuel que chez le non-intellectuel, elle s'y enrichit et s'y consolide avec une dépense d'énergie qui la rend plus résistante aux réfutations de la réalité, ou aux arguments des contradicteurs. Pour cette raison, loin de corriger les défauts de notre civilisation, les intellectuels les accentuent[46].

Revel alla même jusqu'à accuser les intellectuels d'être dévorés par la *libido dominandi*, le désir de dominer, et d'honnir les sociétés libérales, pour cela même «qu'elles les empêchent de s'approprier entièrement la direction d'autrui[47]».

Les pédagogues des facultés de l'éducation, les affidés ministériels et leurs partisans conseillers pédagogiques sont nos intellectuels à nous. Ils n'ont certes pas le génie d'un Jean-Paul Sartre, la gouaille d'un Daniel Cohn-Bendit ou le lyrisme poétique de Louis Aragon. Ils publient livres et articles qu'ils sont les seuls à lire, dans un langage qui sent l'hermétisme des chapelles. Mieux encore, ils ont du pouvoir, des contrats de recherche juteux, l'oreille d'un ministère, le monopole de la formation des maîtres et l'adhésion complaisante à leur discours lénifiant des ministres, des députés, d'une partie de l'avant-garde journalistique. Le sociologue Gilles Gagné a décrit le système scolaire québécois sous la coupe des pédagogues comme un système qui parasite des institutions. Nous avons à faire à plus qu'un cas de parasitage. Nous sommes devant un beau cas d'ensorcellement collectif, d'envoûtement d'une bonne partie de notre classe instruite, de notre petite bourgeoisie décoincée, par les sirènes de l'école démocratique. Devant le mot démocratie, par des ressorts qu'il reste encore à expliquer, nos parvenus diplômés perdent leurs moyens, s'enflamment, trempent leur intelligence dans des alcools forts dont la consommation donne l'hallucination du royaume terrestre réalisé. Pendant que tout ce beau monde titré trinque au renouveau pédagogique, ce petit État du Québec que nous nous sommes donné pour accomplir la grande réforme de l'éducation pour tous travaille, fort de ses lois, fonctionnaires et taxes, à la *désinstruction* publique.

---

46. Jean-François Revel, *La Connaissance inutile*, Paris, Bernard Grasset, 1988, p. 533.
47. *Ibid.*, p. 541.

Malgré ses sombres pronostics, Revel a formulé l'espoir que les intellectuels finissent par agir conformément à leur vocation. « J'ose espérer, écrit-il, que nous avons atteint la fin de l'ère durant laquelle les intellectuels se sont avant tout efforcés de placer l'humanité sous leur domination idéologique et que nous entrons dans celle où ils vont enfin mettre la connaissance au service des hommes – et pas seulement dans le domaine scientifique et technique[48]. » En voyant, au printemps 2008, ces quelques enseignants courageux défier l'orthodoxie pédagogo-ministérielle et marcher dans les rues de Montréal pour rétablir la transmission des connaissances à l'école, je me suis dit qu'il y a encore de l'espoir.

48. *Ibid.*, p. 549.

Les origines personnalistes du « renouveau pédagogique ». Pierre Angers s.j. et *L'activité éducative*

Éric Bédard

Que l'on soit un militant actif de la coalition «Stoppons la réforme», un enseignant incapable de pratiquer la «pédagogie différenciée» devant une classe de 30 élèves ou un simple citoyen sceptique face aux prétendues vertus du «socioconstructivisme», oser critiquer le «renouveau pédagogique» du ministère de l'Éducation, du Loisir et des Sports – la politique officielle du gouvernement québécois depuis le début du millénaire – c'est courir le risque d'être taxé de nostalgique-du-collège-classique. Peu importe le thème de la discussion ou le forum, les meilleures démonstrations se heurtent presque toujours à cet argument d'autorité qui tombe comme un couperet, discrédite moralement toutes formes d'opposition à la doxa pédagogiste. Pour plusieurs, oser remettre en question la énième «réforme scolaire», c'est forcément plaider pour une forme d'éducation désuète, celle-là même qui régnait sans partage durant cette horrible Grande Noirceur, laquelle était dominée par des clercs qui dispensaient leur savoir abstrait, désincarné, du haut de leur chaire sans trop se soucier de «l'apprenant». Sans que cela soit toujours clairement dit, on associe cette pédagogie traditionnelle à l'ancien régime catholique et clérical. D'une certaine manière, la victoire de la nouvelle pédagogie consacrerait le triomphe des Lumières de la Raison contre l'obscurantisme religieux. Un tel amalgame, aimerais-je montrer, fait fi des recherches récentes sur les origines catholiques de la Révolution tranquille. Le «renouveau pédagogique», que nous subissons depuis quelques années, doit beaucoup au personnalisme chrétien de toute une génération de catholiques. Parmi les penseurs les plus influents de cette génération, on retrouve le jésuite Pierre Angers (1912-2005) qui inspira une nouvelle conception de la pédagogie dite active et fut l'une des premières têtes pensantes du Conseil supérieur de l'éducation.

Au cours des dernières décennies, de nombreux travaux sur le processus d'industrialisation, le mouvement ouvrier, le libéralisme ont permis de démontrer que le Québec d'avant les années soixante était en profonde transformation. Ce qui était généralement convenu, cependant, dans ces travaux comme dans notre mémoire collective, c'est que ces «progrès» économiques, sociaux et culturels avaient pris forme à l'extérieur d'une Église catholique qui, coûte que coûte, défendait la tradition et un ordre révolu. Il fut longtemps tenu pour acquis que le processus de modernisation était synonyme de sécularisation, que les transformations culturelles les plus profondes – l'urbanisation par exemple – ne pouvaient se réaliser qu'au détriment des croyances religieuses et des institutions qui leur permettaient de prendre vie[1]. Dans son ouvrage sur l'histoire de la formation des maîtres au Québec, M'Hammed Mellouki, en associant le développement d'une pédagogie nouvelle au réformisme de laïcs progressistes, reprend cette même opposition[2]. La thèse des origines catholiques – ou personnalistes – de la Révolution tranquille, défendue de brillante façon par l'historien Michael Gauvreau[3] et par les sociologues E.-Martin Meunier et Jean-Philippe Warren[4], est venue

1. Micheal Gauvreau, «Le couple religion/urbanité: les trajectoires anglo-canadienne et québécoise à la lumière de l'historiographie internationale», *Études d'histoire religieuse*, 72, 2006, p. 7-29.
2. M'Hammed Mellouki, *Savoir enseignant et idéologie réformiste. La formation des maîtres (1930-1964)*, Québec, Institut québécois de recherche sur la culture, 1989, 392 p.
3. Michael Gauvreau, *The Catholic Origins of Quebec's Quiet Revolution, 1931-1970*, Montréal et Kingston, Presses universitaires McGill-Queen's, 2005, 501 p.
4. E.-Martin Meunier et Jean-Philippe Warren, *Sortir de la «Grande noirceur». L'horizon «personnaliste» de la Révolution tranquille*, Québec, Septentrion, 2002, 207 p. Cet ouvrage fut au départ un article paru dans la revue *Société*, nº 20/21, été 1999.

considérablement nuancer ce portrait. Ce que montrent ces travaux, c'est que la modernisation culturelle du Québec résulte, en partie du moins, d'une mutation de l'éthique catholique interne à l'Église. À partir des années 1930, une nouvelle génération de catholiques canadiens-français, influencée par des penseurs comme Charles Péguy, Jacques Maritain ou Emmanuel Mounier, le fondateur de la revue *Esprit* lancée en 1932 et principal penseur du «personnalisme», rejette une religion catholique trop axée sur l'observance conformiste des rites, sur une pastorale de la routine, peu soucieuse de la foi vécue au quotidien. Cette nouvelle génération critique sévèrement une Église centrée sur les clercs plutôt que sur les laïcs, qui perçoit les fidèles tel un troupeau à encadrer et qui ne fait pas suffisamment confiance au bon jugement des croyants. Ces jeunes catholiques s'en prennent à une Église qui prêche le fatalisme et l'obéissance à l'autorité plutôt que de présenter l'Histoire comme la source ultime de la Révélation, qui réduit le message chrétien à une apologie de la tradition plutôt que de former des apôtres du changement. Plus globalement, cette nouvelle éthique catholique, qui souhaite prendre le contrepied de l'éthique traditionnelle conçue à l'époque de la Contre-réforme, embrasse deux principes clés de la modernité culturelle qui transformera le 20e siècle. À leur façon, les adeptes de cette éthique «personnaliste» prônent une rupture radicale avec un passé qui, jusque-là, faisait autorité. Durant les années 1930, les aînés, souvent associés à ces bourgeois hypocrites qui prêchent une chose et font le contraire, sont accusés d'avoir failli à leur tâche. Porteuse de renouveau, la jeunesse est investie d'une mission sacrée: celle d'opérer une révolution spirituelle, laquelle permettra à chacun de vivre plus authentiquement sa foi[5]. Ce désir presque obsessif d'authenticité, omniprésent dans les écrits de cette génération personnaliste, constitue d'ailleurs l'autre idée phare de la modernisation culturelle. Une nouvelle approche du message chrétien, pensait-on, permettrait à la personne de faire ses propres choix, de vivre avec intensité des expériences librement choisies, d'ainsi éviter les conformismes aliénants ou les routines paresseuses.

5. Voir, là-dessus, Louise Bienvenue, *Quand la jeunesse entre en scène. L'Action catholique avant la Révolution tranquille*, Montréal, Boréal, 2003, 291 p.

Au Québec, cette nouvelle éthique catholique semble avoir préparé les esprits à la modernité culturelle en prenant pour cible deux institutions fondamentales : la famille et l'école. Comme le montre bien Gauvreau, dans les trois chapitres les plus convaincants de son ouvrage[6], plusieurs jeunes militants laïcs de l'Action catholique ne se gênèrent pas pour critiquer la famille traditionnelle qui imposait à l'homme et à la femme un rapport hiérarchique et qui obligeait le couple à multiplier les enfants. Les services de préparation au mariage, animés le plus souvent par des laïcs de l'Action catholique, en vinrent à considérer la famille non plus comme une institution qui devait transcender les individus mais bien comme une communauté de proximité, essentielle à l'équilibre intérieur et affectif de la personne. S'il fallait se marier, fonder une famille, avoir des enfants, ce n'était plus par devoir ou pour assurer la revanche des berceaux, mais bien pour vivre des expériences enrichissantes. L'harmonie des familles dépendait désormais d'une sexualité satisfaisante tant pour l'homme que pour la femme, de nouvelles méthodes d'espacement des naissances – qui n'excluait pas, jusqu'à *Humanæ Vitæ* (1968), la pilule anti-contraceptive – d'une possibilité pour la mère de se réaliser en tant que personne à l'extérieur du foyer, de rapports plus égalitaires entre les parents et les enfants. Ces liens plus authentiques entre les personnes, qu'il importait d'introduire dans la famille, première institution de base d'une société, devaient-ils également prévaloir à l'école ? Les personnalistes prônèrent-ils de nouvelles méthodes d'enseignement, une nouvelle pédagogie ? Étonnamment, Gauvreau n'aborde pas cette question. Son chapitre consacré à la réforme de l'éducation, qu'il présente comme un « concordat » entre l'Église et l'État, ne traite que des structures mises en place à cette époque, non des finalités culturelles[7]. Selon E.-Martin Meunier, la « révolution personnaliste » procéderait pourtant d'une « intention pédagogique »[8].

6. M. Gauvreau, *The Catholic Origins*, *op. cit.*, chap. 3, 4 et 5, p. 77-246.
7. Sa thèse, pour le moins controversée, est que cette nouvelle élite catholique, pleine de condescendance à l'égard de fidèles incapables de se défaire de ses rituels superstitieux, aurait cherché à imposer par le haut, en contournant les corps intermédiaires, sa vision de la pratique religieuse et de la foi. Parmi les critiques stimulantes de cette interprétation, voir Serge Gagnon, « À propos du livre de Michael Gauvreau... », *Bulletin d'histoire politique*, vol. 18, nº 1, automne 2009, p. 287-297.
8. E.-Martin Meunier, *Le pari personnaliste. Modernité et catholicisme au XXe siècle*, Montréal, Fides, 2007, p. 165-179.

L'autorité des clercs, déploraient les personnalistes, l'enseignement magistral, la répétition routinière de formules apprises par cœur, si elles commandaient le respect, suscitaient le conformisme chez le fidèle. Une foi authentique, incarnée, ne pouvait être transmise de l'extérieur par un clerc. Il fallait plutôt la voir éclore à l'intérieur de soi, à la suite d'un long cheminement personnel. Les personnalistes firent peser un lourd soupçon sur l'enseignement traditionnel de la foi, encore là trop centré sur les clercs plutôt que sur les fidèles, ainsi que sur l'institution médiatrice qu'étaient l'école et son représentant en classe, le maître. Dans une étude fort éclairante sur la modernisation des institutions scolaires dans le Québec des années cinquante et soixante, Jean Gould montre une partie des implications de cette éthique personnaliste sur le développement d'une pédagogie centrée sur l'enfant, soucieuse de rapprocher le maître de l'élève[9]. C'est pour pousser plus loin cette intuition qu'il vaut la peine de s'arrêter sur l'œuvre de Pierre Angers[10], à qui l'on doit l'un des avis les plus célèbres du Conseil supérieur de l'éducation: *L'activité éducative* (1971). La genèse intellectuelle de ce texte, le rappel de ses idées phares, montrent bien que le «renouveau pédagogique» actuel n'a finalement rien de bien nouveau...

Un personnaliste bien de son temps

Pierre Angers naît en 1912 dans un milieu aisé: son père est juge et il fréquente une école primaire de Westmount. Après des études classiques aux collèges Sainte-Marie et Brébeuf, il entre officiellement chez les Jésuites en août 1930. Pour reprendre une distinction précieuse apportée par Jean Gould, l'Église à laquelle appartiendra Pierre Angers n'est pas celle de la paroisse, enracinée dans les villages et les quartiers canadiens-français, mais bien celle des œuvres, située surtout dans les grandes villes, disposant d'un impressionnant réseau international, développant, après la Seconde

9. Jean Gould, «Des bons pères aux experts: modernisation des institutions scolaires au Canada français, 1940-1964», *Société*, nº 20/21, été 1999, p. 118.
10. Sur l'œuvre de Pierre Angers, voir Benoît Lacroix, «Pierre Angers», dans Sylvain Simard, François Gallays, Paul Wyczynski (dir.), *L'essai et la prose d'idées au Québec*, Montréal, Fides, 1985, p. 427-452. Il y aurait plusieurs façons d'aborder la pensée de Pierre Angers mais nous avons opté pour le filon conducteur du personnalisme.

Guerre, de grandes bureaucraties et formant des contingents d'experts[11]. S'il a été considéré comme un grand penseur de la pédagogie moderne, Pierre Angers n'a effectué aucune étude universitaire en psychologie, en épistémologie ou en anthropologie. Il obtient plutôt une licence en théologie de l'Université de Montréal en 1944, et une licence en lettres trois ans plus tard à la même université. En 1949, il décroche un doctorat en littérature française de l'Université de Louvain, après avoir consacré sa thèse à *L'Art poétique* de Paul Claudel, laquelle est publiée la même année au Mercure de France. De retour d'Europe, Pierre Angers se consacre à l'enseignement. Il sera professeur et directeur des études au Collège Brébeuf de 1951 à 1965, professeur de lettres à l'Université de Montréal, de 1945 à 1961. Après avoir publié son recueil d'essais *Foi et littérature*, en 1959, sur lequel nous reviendrons, toute son activité intellectuelle est consacrée à la question de l'éducation. Il publie coup sur coup *Problème de culture au Canada français* (1960), *L'enseignement et la société aujourd'hui* (1961) et, surtout, *Réflexions sur l'enseignement* (1963), des ouvrages qui font de lui une référence incontournable. Ces courts ouvrages regroupent des conférences publiques ou des mémoires écrits pour le compte de la Compagnie de Jésus dans la foulée des consultations de la «Commission royale d'enquête sur l'enseignement dans la province de Québec» présidée par Mgr Alphonse-Marie Parent. À partir de cette époque, il collabore au Service de la recherche de la Fédération des collèges classiques et publie quelques textes remarqués dans *Prospectives*, un périodique fondé en 1964 par la Fédération. Que Pierre Angers appartienne à la première cohorte nommée au Conseil supérieur de l'éducation et qu'il y siège de 1964 à 1972, n'a donc rien de surprenant. De 1968 à 1971, il participe également aux travaux de l'Opération Départ lancée par la direction de l'éducation permanente du ministère de l'Éducation dont le volumineux rapport paraît la même année que *L'activité éducative*. De 1971 à 1977, il agit comme conseiller du recteur de l'Université du Québec à Trois-Rivières, où il poursuit, avec Colette Bouchard et l'équipe du Centre de recherche prospective en éducation, ses réflexions sur l'activité éducative. À la fin des années 1970, il préside une importante

11. J. Gould, *loc. cit.*, p. 184-185.

commission sur l'avenir de l'enseignement supérieur. Ces multiples nominations importantes à des instances clés, ses trois doctorats *honoris causa* remis par des universités québécoises (Sherbrooke, Laval, UQAM) montrent l'indéniable influence du personnage qui s'éteint le 26 décembre 2005. Le 30 janvier suivant, Pierre Lucier, théologien, tout comme Angers, homme d'appareil, ancien président de l'Université du Québec, lui rend un vibrant hommage. Selon Lucier, Angers aurait «contribué au développement d'une pensée éducative d'abord soucieuse de ses fondements et de ses finalités[12]». Lucier classe d'ailleurs *L'activité éducative* parmi ses réalisations les plus fondamentales.

Pour comprendre ces «finalités» évoquées par Pierre Lucier, il faut revenir sur les critiques adressées par Pierre Angers à la religion catholique et à l'Église de son temps, esquisser les perspectives qu'il privilégia et montrer à quel point sa sensibilité correspondait au credo de la nouvelle éthique catholique.

Bien que ses ouvrages dussent recevoir l'imprimatur de ses supérieurs, ce qui explique probablement le ton prudent de ses premiers écrits, il adopta plusieurs des idées chères à la génération personnaliste. Comme bien des catholiques de son temps, il a été un fin lecteur de Péguy, à qui il consacre d'ailleurs un chapitre de *Foi et littérature*. Ce qu'il retient de *Notre jeunesse*, probablement l'essai le plus connu de Péguy, c'est précisément la «pureté», l'«acuité du regard», la «fraîcheur d'âme», la «spontanéité indomptable et primesautière» de la jeunesse[13]. Avec des accents qui rappellent davantage Rousseau que Péguy, il demande aux adultes, encombrés d'idées reçues, de ne surtout pas corrompre ces jeunes esprits qui portent en eux les vertus les plus nobles et qui sont l'espérance du genre humain. «L'expérience n'est courageuse que là où la jeunesse survit; la maturité n'a de caractère que si la force anime ses décisions; la prudence tourne en faiblesse dès que l'audace ne l'enhardit pas. La sagesse est une jeunesse confirmée[14].» Ce qu'il apprécie chez la jeunesse, c'est cette bonté originelle qu'un monde

12. Pierre Lucier, «Pierre Angers (1912-2005) – Un penseur et un éducateur à saluer», *Le Devoir*, 30 janvier 2006.
13. Pierre Angers, *Foi et littérature*, Montréal, Bellarmin, 1959, p. 83-83.
14. *Ibid.*, p. 85.

gouverné par la raison n'aurait pas encore corrompue. Comme bien des personnalistes, comme Mounier lui-même, Angers est un critique sévère du rationalisme moderne; il rêve à sa façon de «refaire la renaissance», fait souvent preuve de nostalgie pour la chrétienté du Moyen Âge. Ce qu'il apprécie chez le poète Paul Claudel, c'est son témoignage d'une expérience intime de la foi. Lire Claudel, à ses yeux, c'est ressentir l'expression d'une mystique chrétienne sans interférence des logiques abstraites et désincarnées. Le grand mérite de *L'Art poétique* serait de poursuivre et d'achever «la tâche d'assainissement de la raison», d'offrir une critique radicale du positivisme d'un Taine ou d'un Renan qui régnait en maître à la fin du XIXe siècle[15]. Claudel et Péguy sont à ses yeux les «poètes et dramaturges du renouveau catholique», ceux qui renouent avec «l'ampleur des conceptions et de l'imagerie médiévales[16]», pour qui la «vision de la vie s'harmonise avec celle de la foi[17]». Par effet de contraste, ces éloges renvoient à ce qui lui déplaît le plus dans cette «religion toute rationaliste et abstraite [qui] a perdu le sentiment intense et vivement éprouvé des mystères de la foi et de la valeur terrienne des événements surnaturels[18]». Ce qu'Angers reproche à la religion catholique dont il hérite, c'est de s'être soumise à l'humanisme «classique», c'est-à-dire au culte païen et «naturaliste» des Anciens, d'avoir abandonné ainsi la puissance symbolique contenue dans la bible. «Cette rupture avec l'imagerie chrétienne, écrit-il, a réduit la Révélation à un corps de principes abstraits et un ennuyeux code de morale», alors que la bible serait «devenue un répertoire de textes pour étayer le savoir des théologiens, un manuel de piété à l'usage des dévots[19]». Les chrétiens, plaide Angers, doivent renouer avec «les valeurs plus subtiles, plus cachées de l'âme, la suavité du chant intérieur», et mettre de côté les exercices de scolastique[20]. Le père jésuite interprète d'ailleurs le romantisme comme un sain «retour aux

15. Pierre Angers, *Commentaire à l'Art poétique de Paul Claudel*, Paris, Mercure de France, 1949, p. 16.
16. P. Angers, *Foi et littérature*, *op. cit.*, p. 88.
17. *Ibid.*, p. 89.
18. *Ibid.*
19. *Ibid.*, p. 46-47.
20. *Ibid.*, p. 54.

réalités intérieures [...] né d'un malaise de l'âme comprimée par la raison trop envahissante[21] ».

Ce plaidoyer en faveur de la jeunesse, cette invitation à renouer avec la symbolique chrétienne du Moyen Âge, cette condamnation sans équivoque du legs rationaliste de la Renaissance sont commandés par les défis du présent non par quelque nostalgie d'esthète. Là encore, Angers reprend à son compte bien des critiques adressées à l'Église par les adeptes de l'éthique personnaliste. S'il est une chose qu'il dénonce avec constance, c'est bien cette idée d'une Église-forteresse qui permettrait aux gardiens de la tradition et de l'ordre établi de résister à la marée montante de la modernité. Comme les personnalistes, le père Angers semble croire que la survie de l'Église dépend de sa capacité à se renouveler. Plutôt que de condamner les mauvais livres, de proscrire ceux qui bousculent les idées reçues, plutôt que d'interdire la lecture d'auteurs modernes comme Proust ou Malraux, les clercs catholiques devaient prendre part aux grands débats métaphysiques lancés par ces écrivains de talent, non pas seulement, tels de sévères moralistes, qu'ils détournent le regard ou se réfugient dans le Grand siècle de Molière[22]. Le vent de changement qui souffle sur Rome sous le pontificat de Jean XXIII conforte donc ses convictions les plus profondes. Il souscrit complètement aux grands principes adoptés par le Concile Vatican II, allant même jusqu'à proposer des transformations radicales du rôle de l'Église dans l'enseignement. Ce qu'il retient surtout de Vatican II, c'est ce passage de l'Église-institution, centrée sur les clercs, une Église qui fondait son autorité sur le contrôle et la hiérarchie, à l'Église-missionnaire, conçue comme une communauté de fidèles en perpétuelle édification[23]. Grâce à ce «progrès doctrinal», l'Église redeviendrait cette grande «communauté fraternelle [...] fondée sur l'égalité substantielle des personnes», ce «peuple de Dieu réuni dans le Christ à qui toutes les nations et tous les hommes sont donnés en héritage[24]». Cette mutation doctrinale est prometteuse et arrive à point nommé selon le père Angers. Alors

21. *Ibid.*, p. 56.
22. *Ibid.*, p. 12-33.
23. Pierre Angers, «Les tâches de l'Église dans l'enseignement», *Prospectives*, vol. 1, nº 4, septembre 1965, p. 24-26.
24. Pierre Angers, «Confessionnalité ou pastorale dans l'école?», *Prospectives*, vol. 4, nº 1, février 1968, p. 20.

que les églises commencent à se vider, que les prêtres sont nombreux à défroquer, qu'une partie significative de la jeunesse est séduite par le marxisme et l'athéisme, l'Église du Québec doit faire les bons choix, pense-t-il. «Nous vivons au Québec, écrit Angers en 1968, la fin d'une époque: la chrétienté québécoise est en voie d'extinction». Ce phénomène colossal peut donner un nouveau souffle à l'Église car elle lui permet de reprendre «conscience, avec une acuité accrue, de sa nature communautaire, du caractère spécifique de sa mission, de son rôle dans la société.» Dans ce nouveau contexte, l'Église est «appelée à exercer dans la société une forme nouvelle de présence, moins institutionnelle et plus communautaire, moins autoritaire et plus fraternelle, moins orgueilleuse et plus dépouillée, dans la probité du dialogue[25]». Homme d'avant-garde, Pierre Angers propose même de faire disparaître la structure confessionnelle du système scolaire. Selon lui, la confessionnalité traditionnelle étouffe la liberté religieuse, trahit la nouvelle vocation œcuménique de l'Église prescrite par Vatican II et, surtout, ne permet plus de faire face aux défis du pluralisme. L'Église catholique devait plutôt négocier l'accès à une école qui, tout en pratiquant une laïcité tolérante serait désormais non confessionnelle. Cette école nouvelle serait le grand défi d'une Église redevenue missionnaire qui agirait «comme messagère de salut et animatrice de la foi; non comme promotrice de civilisation[26]». L'adhésion à la religion catholique ne serait plus commandée par la contrainte sociale, elle interviendrait à la suite d'une conversion personnelle[27].

Pour arriver à de tels résultats cependant, l'Église devait enseigner autrement la catéchèse, développer une «pastorale authentique»:

> Nous avons pratiqué une pastorale un peu courte, écrit le père Angers, centrée sur la réception des sacrements. Il conviendrait de réfléchir sur la pastorale de la parole et de l'évangélisation centrée sur l'approfondissement progressif de la foi et sur le cheminement intérieur de la conversion. La vie chrétienne est autre chose que le rattachement à l'Église pour des mobiles sociologiques. C'est un acte de foi personnel au Christ, procédant d'une libre adhésion de la personne et impliquant une transformation progressive de toute la vie [...] Le cheminement de la foi chez un homme n'a rien d'un

25. *Ibid.*, p. 24.
26. *Ibid.*, p. 27.
27. Sur cet aspect, lire l'entrevue suivant avec le père Angers: «Le bill 62: un projet social, un défi», *Relations*, nº 346, février 1970, p. 39-43.

> endoctrinement, ni d'un conditionnement, ni d'une relation de dépendance à l'égard d'une autre personne, fût-elle prêtre ou laïque. Il s'agit d'un itinéraire spirituel, d'une montée vers la liberté et le mystère pascal, où la route de chacun suit des cheminements singuliers[28].

À bien des égards, cette préoccupation pour une «pastorale authentique», une illustration parmi d'autres de l'adhésion de Pierre Angers à l'intention pédagogique de la révolution personnaliste, annonce ses réflexions contenues dans *L'activité éducative.* Mais avant d'en arriver au célèbre avis du Conseil supérieur de l'éducation, arrêtons-nous sur sa lecture de l'évolution du système scolaire alors que le Québec traverse l'une des périodes les plus mouvementées de son histoire.

Une école au service de la Technique

Dans ses ouvrages du début des années soixante consacrés à l'avenir du système d'enseignement, Pierre Angers annonce une rupture radicale avec les temps anciens. «À l'image ordonnée et stable du monde et de la société se substitue peu à peu la vision d'un monde en marche, confuse, désordonnée, mais dynamique et génératrice du mouvement[29].» La révolution industrielle ou celle des communications sont les indices les plus révélateurs d'un temps qui s'accélère comme jamais auparavant, d'un «changement perpétuel [...] devenu la condition permanente[30]». Cette société nouvelle serait «progressive», préférerait «la référence à l'avenir au maintien du passé», croit Angers qui vante à plusieurs reprises les bienfaits d'une «pensée prospective[31]». Ces progrès incessants correspondent selon lui en partie à l'entrée en scène d'une jeunesse qui voit les choses autrement. S'il se défend bien de prôner un quelconque déterminisme historique, s'il croit que la liberté humaine reste «l'un des principaux facteurs de l'histoire», il

28. P. Angers, «Confessionnalité ou pastorale dans l'école?», *Prospectives, op. cit.*, p. 63.
29. Pierre Angers, *Problème de culture au Canada français*, Montréal, Beauchemin, 1960, p. 89.
30. Pierre Angers, *L'enseignement et la société aujourd'hui*, Montréal, Éditions Sainte-Marie, 1961, p. 11.
31. *Ibid.*, 19; *Réflexions sur l'enseignement*, Montréal, Bellarmin, 1963, p. 21.

estime tout de même ce «déroulement irréversible[32]». La tâche la plus urgente est de comprendre ce déroulement, de s'adapter à ces changements obligés, certainement pas «de se replier par le rêve dans l'idéalisation du bon vieux temps». Toute forme de scepticisme est donc à proscrire car selon Angers, «la nostalgie d'un passé mort tourne au durcissement inhospitalier et ferme le cœur à l'accueil du temps présent. Elle comporte de graves dangers: vécu par des personnes qui ont des responsabilités de direction, le refus d'accepter l'évolution et ses conséquences entraîne, en fin de compte, une réaction violente[33].» Le conservatisme a ici toutes les allures d'une pathologie qu'il faudrait, pour le plus grand bien de tous, guérir au plus vite. Dans ce contexte de transformations, Pierre Angers croit que l'ancienne culture humaniste, trop proche de la nature, c'est-à-dire de la terre, de la famille ou de la corporation, trop «organique» en somme, n'est plus du tout conforme aux défis qui se profilent à l'horizon, qu'elle ne convient plus au «type d'homme adapté au climat du monde scientifique[34]».

> Nous devons accepter le monde nouveau de la révolution industrielle, poursuit Angers, lui donner notre adhésion, sans ingénuité, mais avec la liberté d'un cœur qui a pesé les choses, parce que notre place est dans l'avenir et que notre responsabilité d'homme est de modeler le monde en train de s'accomplir. Ce serait trahir que de s'enfermer dans la nostalgie blessée de ceux qui regrettent les charmes du monde passé. Notre première fidélité, nous ne la devons pas au passé, mais à notre temps constitué par toutes les fibres de notre âme[35].

Selon Angers, l'avènement d'un «âge technique» serait la cause principale de cette accélération historique sans précédent. Ce nouvel âge rendait presque caduques les œuvres et les traditions anciennes, imposait une nouvelle organisation de la société qui obligeait les hommes à réviser complètement leurs manières de voir le monde. Ce nouveau monde de la technique «ignore l'histoire», dépasse les frontières, serait même en train de façonner un «homme nouveau[36]». Ce triomphe de la technique, qu'Angers

---

32. P. Angers, *Problème de culture, op. cit.*, p. 90.
33. *Ibid.*, p. 92-93.
34. *Ibid.*, p. 14.
35. *Ibid.*, p. 60.
36. P. Angers, *Réflexions sur l'enseignement, op. cit.*, p. 25, 117-138; *Problème de culture, op. cit.*, p. 35.

juge globalement favorable, témoigne de deux grands phénomènes. En premier lieu, de la victoire d'une science qui, pour l'humanité, «possède les clés de son destin[37]». Grâce à la science, l'homme peut conquérir la nature, transformer le monde dont il hérite. «L'ère du regard contemplatif sur un cosmos débordant de sens divin est une période close[38]», prédit-il. L'homme, constate Angers, peut désormais «être observé, manipulé, transformé comme un objet[39]». On assiste même, constate-t-il fasciné, à l'invention d'«automates intelligents» ayant donné naissance à la «science de la cybernétique», laquelle annoncerait la création de «cerveaux électroniques accompliss[ant] des opérations complexes qui permettent une prodigieuse économie de temps et d'efforts[40]». Ces grandes conquêtes scientifiques, explique Angers, comme s'il anticipait la critique, ne sauraient être assimilées à des «ambitions matérialistes, ni à un manque de respect à l'égard de l'ordre établi par la Providence». Croire le contraire, selon Angers, ce serait manquer de confiance dans l'effort humain, témoigner d'un «esprit traditionnaliste». «La recherche scientifique et l'effort technique n'ont été rendus possibles que par le christianisme», plaide Angers selon qui «la grande idée biblique sur l'homme, c'est qu'il est créé à l'image de Dieu, c'est-à-dire à l'image du Créateur. Il est fait pour dominer et transformer la nature[41]». Dans une note de bas de page révélatrice, il présente la science comme un nouvel humanisme:

> Plusieurs s'imaginent que l'ancienne culture humaniste était plus favorable à l'épanouissement de la foi chez l'homme que la civilisation technicienne, orgueilleuse et matérialiste. D'un point de vue religieux, et finalement absolu, l'évolution de l'Occident vers la technique est alors tenue pour une décadence de l'humanité. [Or] la civilisation industrielle a ses tentations; mais l'âge humaniste a eu les siennes et il y a largement succombé. Il a souvent connu un christianisme d'apparence plus que de fait, il a connu toutes les possibilités d'injustices et de destruction du monde contemporain; mais il était moins outillé que l'homme d'aujourd'hui pour donner à ses instincts la même puissance offensive. Enfin, la religion s'est souvent teintée de croyances et de pratiques superstitieuses[42].

37. P. Angers, *Problème de culture, op. cit.*, p. 37.
38. *Ibid.*, p. 39.
39. *Ibid.*
40. P. Angers, *L'enseignement et la société aujourd'hui, op. cit.*, p. 14-15.
41. P. Angers, *Problème de culture, op. cit.*, p. 41.
42. *Ibid.*, p. 101.

L'autre grand phénomène à l'œuvre dans ce nouvel âge technique est l'avènement des masses, la montée générale des attentes, une certaine «mystique de la démocratie». L'ère de la Technique rend caduques les hiérarchies traditionnelles, croit Angers, car «le règne de la machine et du planisme» permet un meilleur régime d'égalité. Cette nouvelle société «se compose d'un ensemble d'individus qui se veulent de droits égaux. Il s'ensuit que chaque individu ressemble au rouage d'un appareil: chacun est indispensable aux autres et tous sont rassemblés dans une dépendance réciproque[43]». S'il est conscient des écueils qui guettent chacun dans ce monde émergent, il croit que cette nouvelle organisation du travail, moins hiérarchique et plus démocratique, permettra de tendre «vers un ordre social plus communautaire, dépassant le collectivisme et l'individualisme, trop mécanique, et d'un rendement médiocre[44]». Ce salut par la science, cet avènement des masses comportent leur lot de dangers, admet un Pierre Angers qui met à quelques reprises son lecteur en garde contre les dérives de l'utopie. Parmi les tentations les plus dangereuses, il y aurait celle de l'athéisme, la perte du sens de l'homme et la volonté de puissance qui, dans certains cas, ont conduit au totalitarisme. Désormais capables d'organiser le monde, de planifier le développement économique, social et culturel de leur société, plusieurs hommes pourraient s'éloigner de Dieu ou mener une existence profane sans relation avec le divin et ainsi développer un rapport purement utilitaire au savoir et à la culture[45]. C'est précisément pour éviter de tels écueils que les catholiques et que l'Église doivent prendre la mesure des transformations radicales qui sont à l'œuvre et s'y adapter.

Tous ces changements, martèle sans arrêt Pierre Angers dans un contexte où le Québec s'apprête à vivre une véritable révolution scolaire, ne sauraient être assimilés à une idéologie particulière, ils n'auraient absolument rien de politiques. Lorsque vient le temps d'examiner les transformations à opérer afin de mieux outiller les générations futures pour faire face aux défis techniques de demain, les idéologies ne seraient selon lui d'aucune utilité.

---

43. *Ibid.*, p. 42-43.
44. P. Angers, *Réflexions sur l'enseignement, op. cit.*, p. 121-122.
45. P. Angers, *Problème de culture, op. cit.*, p. 52-54.

> Il importe de conserver un regard objectif devant cette vaste mutation de la société qui s'opère sous nos yeux. Ici, l'écueil le plus séduisant et le plus perfide est d'être marqué à son insu par une idéologie. Toutes idéologies, comme un grand nombre d'anciennes philosophies, sont le fruit d'une réflexion sur un monde périmé. Les théories libérales de l'école anglo-saxonne, le socialisme doctrinaire de la fin du XIXe siècle et des débuts du XXe siècle, le laïcisme (je ne dis pas la laïcité) et ses diverses formes dans l'école et la vie publique sont des idéologies rigides et durcies, contemporaines de structures économiques et politiques d'une époque stable. Elles furent conçues et établies avant l'ère de la planétarisation, avant l'interdépendance universelle de tous les hommes, avant la concertation de tous avec tous[46].

Le temps de l'affrontement, du choc des idées, des grands débats serait bel et bien terminé, selon Angers. Ceux qui persistent dans cette voie font perdre un temps précieux aux hommes de bonne volonté. «Il serait temps de classer les discussions sur le libéralisme et le socialisme dans la même catégorie que celles qui concernent le sexe des anges[47].» En plus d'être vaines, ces «innombrables tribulations politiques ont été impuissantes à relever le niveau de vie des masses qui vivaient dans la misère: la mortalité infantile était élevée; les années de famine étaient fréquentes; les épidémies causaient régulièrement des ravages[48]». Tout se passe en somme comme si, aux yeux d'Angers, la Technique avait davantage fait progresser le genre humain que les idées et la politique.

Aux Canadiens français, l'entrée dans l'ère technique demandera un véritable changement de «culture». Jusqu'aux grandes guerres, déplore le père jésuite, le Canada français vivait en «autarcie culturelle», offrait «un climat inhospitalier aux nouveautés et pauvre en substance doctrinale[49]». Depuis la Seconde Guerre mondiale, les Canadiens français auraient enfin compris «qu'il n'est plus question de discuter si le changement est souhaitable, mais seulement de savoir ce qu'il doit être et ce à quoi il doit aboutir[50]». Si Angers reconnaît qu'une tradition populaire a pu rendre de fiers

46. P. Angers, *Réflexions sur l'enseignement, op. cit.*, p. 22.
47. *Ibid.*, p. 171.
48. *Ibid.*, p. 109.
49. P. Angers, *Problème de culture, op. cit.*, p. 13.
50. P. Angers, *Réflexions sur l'enseignement, op. cit.*, p. 123.

services au peuple canadien-français, un peuple «actif, industrieux, souple à s'adapter à des conditions de vie inédites[51]», il estime que son élite aurait erré en valorisant une culture «longtemps bercée avec complaisance d'un idéal abstrait, doucement nébuleux» et qui «reposait sur la certitude de prolonger une tradition qui s'enracinait dans la France prestigieuse du dix-septième siècle». Cette culture, déplore Angers, qui s'enlisait dans la routine, survalorisant les humanités littéraires, les langues anciennes et une philosophie chrétienne encroûtée dans la scolastique, regardait de haut les sciences, la gestion et l'économie[52]. De plus, cette culture déficiente était le lot d'une toute petite «élite bourgeoise» faite de prêtres, de juristes et de médecins, parfois de politiciens et se méfiait de la grande aventure technique du siècle[53]. Cette culture des Canadiens français, déplore également le père Angers, en était une de surface car elle fournissait des certitudes plutôt que de nourrir l'inquiétude salvatrice: «Nous avons fini par croire, avec la plus grande tranquillité de conscience, que l'œuvre de la connaissance se réduit à la possession d'une somme de renseignements exacts et objectifs, qu'il suffit d'énoncer des certitudes pour les comprendre et les faire passer dans sa vie [...] Nous avons vécu dans la sécurité de posséder la vérité, oubliant que le mystère des êtres ne se laisse pas cerner par nos concepts et que la Sagesse est d'abord la quête spirituelle d'une vérité toujours à découvrir[54].»

Ce problème de culture, Angers l'impute surtout aux manières de transmettre les matières à l'étude, à la pédagogie des maîtres du collège classique. Les notions de philosophie, d'histoire, de littérature grecque furent trop longtemps apprises par cœur aux moyens de «recettes faciles[55]». Les éducateurs de cet ancien régime répugnaient au changement, craignaient l'innovation et se durcissaient «au moindre souffle de nouveauté, installés dans le confort fictif d'un ordre imaginaire», préférant consacrer leur temps à d'«odieuses querelles de clocher» ou à des «polémiques

51. P. Angers, *Problème de culture, op. cit.*, p. 15.
52. *Ibid.*, p. 18 ; *Réflexions sur l'enseignement, op. cit.*, p. 158.
53. P. Angers, *Réflexions sur l'enseignement, op. cit.*, p. 176.
54. P. Angers, *Problème de culture, op. cit.*, p. 19.
55. *Ibid.*, p. 22.

stériles, chargées d'émotion et de ressentiment», plutôt que de repenser leur pratique pédagogique. Selon Angers, il régnerait chez les éducateurs canadiens-français un «style individualiste du XIXe siècle[56]», leur grand défaut serait de ne pas coopérer entre eux, de ne pas suffisamment mettre en commun leurs efforts. En somme, il fallait au plus vite tourner le dos à cette culture, revoir ces méthodes d'enseignement, car l'avenir allait appartenir aux peuples éduqués qui auront vraiment pris acte des transformations en cours.

L'ère de la Technique, explique Pierre Angers, provoque l'explosion des effectifs scolaires et nous oblige à revoir «nos méthodes et nos traditions d'enseignement, nos façons de voir et de sentir, les institutions que nous croyions les mieux enracinées[57]». C'est qu'en prenant en charge les tâches routinières, la civilisation technique «crée un appel toujours plus pressant de spécialistes et de hauts techniciens»; si, «à l'âge humaniste, l'orateur et le juriste étaient rois», la nouvelle civilisation «réclame un nombre toujours accru de spécialistes et de grands directeurs, c'est-à-dire des experts ayant des connaissances spécialisées dans un domaine, des organisateurs capables de concevoir et de diriger des structures dans lesquelles les techniciens puissent donner le meilleur de leur compétence[58]». Ces connaissances ne cessant de s'accroître «à cause du progrès ininterrompu des sciences naturelles et des sciences de l'homme[59]», l'enseignement doit avoir une nouvelle fonction, celle de «préparer l'homme à rechercher et à accueillir les connaissances futures[60]». Pour effectuer les mises à jour nécessaires, l'éducation risque de devenir permanente, non plus seulement ponctuelle. Bien avant le gouvernement libéral de Jean Lesage, Pierre Angers défend, à sa façon, l'adage selon lequel qui s'instruit, s'enrichit. La prospérité d'une nation, fait-il remarquer, ne dépend désormais plus de son secteur primaire, c'est-à-dire de ses richesses naturelles, mais de son secteur tertiaire. La compétence scientifique, l'expertise technique, en somme les «géologues, ingénieurs, administrateurs, financiers»

56. P. Angers, *Réflexions sur l'enseignement, op. cit.*, p. 162-163.
57. *Ibid.*, p. 5.
58. *Ibid.*, p. 107.
59. P. Angers, *L'enseignement et la société aujourd'hui, op. cit.*, p. 32.
60. *Ibid.*, p. 33.

deviennent la seule vraie richesse des nations[61]. Dans un tel contexte, l'éducation n'est plus une dépense mais un «investissement» dans le «capital humain[62]» qui rapporterait davantage d'ailleurs que l'investissement dans les ressources naturelles, voire dans le commerce ou l'industrie. Chiffres à l'appui, Pierre Angers cherche à démontrer qu'un travailleur illettré produirait beaucoup moins qu'un travailleur qui dispose de quelques années d'étude[63]. Nos voisins du Sud l'auraient bien compris, eux qui seraient «devenus un pays riche parce qu'ils ont investi des sommes importantes dans l'enseignement[64]».

Si, au milieu des années 1950, Pierre Angers s'oppose à toute forme de dirigisme étatique – celui défendu notamment par Arthur Tremblay dans *Les Collèges et les Écoles publiques: conflit ou coordination?* (Presses de l'Université Laval, 1954) – et défend l'autonomie du collège classique traditionnel[65], ses écrits du tournant des années 1960 montrent qu'il se rallie rapidement aux nécessités de la planification bureaucratique. Une telle planification du système éducatif, plaide-t-il encore, ne serait absolument pas commandée par «une idéologie socialisante» mais bien par la «réalité elle-même». Les besoins en éducation seraient si grands, si pressants, qu'«on ne peut pas laisser se poursuivre au hasard dans un pays l'expansion de l'enseignement». Aussi, «on ne peut même pas l'abandonner aux caprices d'une opinion qui n'a pas toujours connaissance des liens qui existent entre les facteurs du développement économique et social, ni même des exigences intrinsèques de l'enseignement[66]». Il faut donc agir vite, pour le bien de la société et du peuple, même si ce dernier peut parfois se sentir brusqué ou jugé, à tort évidemment, que ce nouveau système coûte cher. Cette planification bureaucratique requiert de nouvelles compétences en gestion et en administration, fait d'ailleurs valoir Angers, qui consacre quelques pages aux qualités

61. *Ibid.*, p. 23.
62. *Ibid.*, p. 44.
63. P. Angers, *Réflexions sur l'enseignement, op. cit.*, p. 57.
64. *Ibid.*, p. 141.
65. Pierre Angers, «Collège libre ou école publique?», *Relations*, nº 162, juin 1954, p. 158-161.
66. P. Angers, *Réflexions sur l'enseignement, op. cit.*, p. 33.

que devront posséder les technocrates de demain[67]. Parmi les propositions qu'il formule pour faciliter cette planification, il y a celle de créer «un conseil permanent de l'enseignement, représentatif de tous les milieux enseignants, chargé d'étudier tous les problèmes nouveaux, que posera sans cesse dans notre système d'enseignement un milieu de civilisation mobile, et de faire aux autorités compétentes les recommandations qui s'imposent[68]». Pour anticiper les changements à venir, il propose également la création d'un «conseil de prospective éducationnelle[69]».

Cette école au service de la civilisation technique, dont il fallait impérativement planifier le développement, devait «s'adapter au rythme accéléré des transformations du monde d'aujourd'hui[70]». En plus de construire des écoles et d'écrire de nouveaux programmes, il importait de favoriser «un changement dans les attitudes sociales et la mentalité», des ambitions beaucoup «plus difficiles que les transformations des structures[71]». Le savoir devait prendre de nouvelles formes, la théorie se rapprocher de la pratique[72], les frontières étanches entre les disciplines disparaître à plus ou moins brève échéance[73]. Dans cette école à créer, les hommes devaient «apprendre à réfléchir ensemble, à échanger et à dialoguer, à confronter tous les points de vue, à faire tomber les séparations et les oppositions stériles et malfaisantes, et à découvrir peu à peu que les diverses disciplines sont appelées à s'intégrer, que théorie et pratique, science et action se complètent, se fécondent[74]». Cette école nouvelle devait enseigner un «nouvel humanisme[75]» en phase avec les nouveaux défis techniques. «La tâche de la culture à venir, c'est de maîtriser la technique. Et dans cette vue, loin

---

67. *Ibid.*, p. 43-46.
68. *Ibid.*, p. 40.
69. *Ibid.*, p. 66.
70. P. Angers, *L'enseignement et la société aujourd'hui, op. cit.*, p. 25.
71. P. Angers, *Réflexions sur l'enseignement, op. cit.*, p. 40.
72. «Un écueil guette l'enseignement des humanités dans notre pays, et souvent leur fait échec: c'est le péril de l'abstraction». P. Angers, *Problèmes de culture, op. cit.*, p. 82.
73. P. Angers, *Réflexions sur l'enseignement, op. cit.*, p. 18.
74. P. Angers, *L'enseignement et la société aujourd'hui, op. cit.*, p. 37.
75. P. Angers, *Problèmes de culture, op. cit.*, p. 59.

de souhaiter l'arrêt du progrès de l'outillage, il faut au contraire accélérer cette marche, espérer une technique plus forte et plus imprégnée d'humain[76].» Cette nouvelle école ne devait surtout pas vouer un culte à la tradition, du moins si on réduisait celle-ci à un «attachement à une vérité durcie», aux «répétitions de formules immuables» et à la «passivité d'une mémoire qui se contente de retenir[77]». Dans cette école nouvelle, la «culture générale» aurait toujours sa place, à la condition de n'être «plus seulement le signe d'une excellence personnelle»; elle devait surtout devenir «un instrument d'efficacité et de rendement[78]». La véritable culture ne devait plus être qu'apparat, vernis pour épater la galerie. Il fallait qu'elle se développe «à partir d'un effort de la pensée pour comprendre les choses et les posséder dans l'expérience intérieure la plus vitale qui soit». Une culture authentique, selon le personnaliste Pierre Angers, était un «engagement» à l'égard de certaines valeurs, elle était «intuition et raisonnement, perception et jugement, ouverture au monde et faculté de mettre en ordre[79]». Seul des maîtres compétents, empathiques, sensibles à cette quête intérieure favoriseraient l'éclosion de cette nouvelle culture. Au lieu de passer pour d'admirables savants, au lieu de préserver cette distance intimidante, ces nouveaux enseignants auraient tout avantage à s'inspirer de l'attitude des compagnons qui, dans les ateliers d'artisanat du Moyen Âge, instruisaient les apprentis[80]. Cette société du savoir n'avait d'ailleurs d'autres choix que de valoriser davantage les maîtres en leur accordant de meilleurs traitements, en réduisant la taille de leur classe et en leur fournissant une meilleure formation[81]. Fallait-il préférer la pédagogie aux disciplines académiques? Certainement pas, selon Angers. «Les professeurs doivent être munis de diplômes académiques dans les matières qu'ils enseignent, écrit-il. Le baccalauréat en pédagogie ne qualifie pas à lui seul un professeur au niveau secondaire; des diplômes académiques doivent compléter et le degré minimum devrait être le

76. *Ibid.*, p. 60.
77. *Ibid.*, p. 63.
78. P. Angers, *Réflexions sur l'enseignement, op. cit.*, p. 131.
79. P. Angers, *Problèmes de culture, op. cit.*, p. 105.
80. P. Angers, *Réflexions sur l'enseignement, op. cit.*, p. 31.
81. *Ibid.*, p. 12, 185.

baccalauréat spécialisé ou la maîtrise. Dans les classes supérieures des collèges, il convient que le professeur ait obtenu le doctorat[82].»

Ce changement de mentalité, ce nouvel humanisme fondé sur une culture du dialogue et de l'ouverture ne pourraient jamais voir le jour si cette «pédagogie de la pression[83]» continuait de prévaloir. Dans ce monde en perpétuel changement, rien de pire selon Pierre Angers que de «faire ingurgiter des connaissances toutes faites», que d'imposer «des notions, des formules, des règles, des procédés conventionnels, des jugements définitifs sur les œuvres[84]». Si, «même dans une société démocratique», le maître «domine toujours son élève», si cette «relation fondamentale entre un supérieur et un inférieur ne saurait être abolie», le véritable rôle de l'enseignant était désormais d'éveiller la curiosité, non d'inculquer des notions toutes faites[85]. À plusieurs reprises, Pierre Angers vante les mérites des méthodes de la «classe active» introduites par des enseignants américains dans de nombreuses écoles. Ces méthodes privilégieraient le dialogue et les exposés oraux, ce qui permettrait à l'élève de devenir plus audacieux, de prendre plus de risques. Pour préparer ses exposés, l'élève serait amené «à s'informer, à recourir aux sources de documentation», à visiter la bibliothèque[86]. Ces méthodes, insiste un Pierre Angers qui ne s'appuie cependant sur aucune étude empirique, provoqueraient «la passion de la recherche, le développement du sens critique, et l'apprentissage de la vraie liberté[87]». Le grand atout de la pédagogie active serait de mettre surtout l'accent sur les méthodes d'apprentissage plutôt que sur l'acquisition de connaissances, une approche qui serait beaucoup mieux adaptée aux défis de la civilisation technique selon Angers. «À l'origine des méthodes actives de la pédagogie contemporaine, explique-t-il, il y a une conception de la vie liée au progrès technique du monde d'aujourd'hui. Il y a la conscience qu'il reste à l'homme beaucoup de choses à découvrir; que nos connaissances d'aujourd'hui seront sujettes à révision avec

82. P. Angers, *L'enseignement et la société aujourd'hui, op. cit.*, p. 41.
83. P. Angers, *Réflexions sur l'enseignement, op. cit.*, p. 25.
84. *Ibid.*, p. 26.
85. *Ibid.*, p. 27.
86. *Ibid.*, p. 29; P. Angers, *Problèmes de culture, op. cit.*, p. 86.
87. P. Angers, *Réflexions sur l'enseignement, op. cit.*, p. 67.

le cours du temps[88].» Parce que les savoirs d'aujourd'hui risquent d'être périmés demain, les pédagogues avant-gardistes «se donnent pour objectif principal d'apprendre à apprendre» plutôt que de simplement communiquer des connaissances à leurs élèves. Il ne s'agit donc plus de connaître beaucoup de choses, d'emmagasiner de nombreuses informations mais de savoir comment les trouver. Selon Angers, «quand nos finissants quittent l'école, ils possèdent un ensemble de connaissances souvent plus étendues que les jeunes Américains du même âge, mais ils ne savent pas se poser des questions, ils n'ont pas découvert le prix de la recherche et de la curiosité intellectuelle[89]». Ces méthodes actives, tient pour acquis Angers, auraient grandement bénéficié des recherches menées au cours «des 50 dernières années sur la psychologie de l'intelligence[90]». Le maître de l'ère technique, en plus de tirer profit des progrès de la psychologie, se devait également de recourir aux nouveaux outils de communication collective, tels que la radio, le cinéma ou la télévision. En enregistrant une seule fois un ensemble de connaissances, et en les répétant à l'infini, ces nouveaux outils, prédit Angers, «pourraient jouer un rôle essentiel dans l'enseignement des masses afin d'éveiller le goût de s'instruire[91]».

L'activité éducative

Prendre acte d'une accélération sans précédent de l'Histoire, adapter l'école aux impératifs de la technique, voilà des convictions que partagent beaucoup de gens dans ce Québec bouleversé par la Révolution tranquille. On retrouve d'ailleurs plusieurs idées de Pierre Angers dans le chapitre IV du premier tome du rapport Parent rendu public en avril 1963. Le travailleur d'aujourd'hui, insiste les auteurs du rapport, a besoin d'un nouveau type de formation, «non plus manuelle mais intellectuelle». «L'ouvrier, qui avait succédé à l'artisan, cède maintenant la place au technicien», peut-on lire[92]. Dans l'esprit de bien des Québécois de cette

88. P. Angers, *Problèmes de culture, op. cit.*, p. 87.
89. P. Angers, *Réflexions sur l'enseignement, op. cit.*, p. 30.
90. *Ibid.*, p. 18, 66.
91. *Ibid.*, p. 189.
92. Alphonse-Marie Parent, *Rapport*, Commission royale d'enquête sur l'enseignement dans la province de Québec, Québec, tome 1, 1963, p. 68.

époque, ouvrir des écoles, construire des universités, élaborer des programmes plus conformes aux réalités du monde moderne, embaucher des enseignants par milliers, permettraient de former des ouvriers qualifiés, des administrateurs, des ingénieurs qui, par leur expertise technique, allaient mettre fin à l'infériorité économique des Canadiens français. Pour les chefs de file de cette époque d'effervescence, il en va de l'éducation comme de la nationalisation de l'hydroélectricité. Dans les deux cas, on rêve de reprendre possession du territoire et de ses richesses, de faire des affaires en français, de voir se multiplier les grands travaux comme ceux de la MANIC V. L'explosion des effectifs scolaires est grandement encouragée par cette grande ambition nationale. De sorte que, à la fin des années 1960, l'accès à l'école est presque un fait accompli et la démocratisation de l'enseignement est largement admise. Si, par ses écrits, Pierre Angers a donné prise à de telles aspirations, s'il a encouragé le développement accéléré du système éducatif québécois, l'homme de foi ne saurait en rester là. Comme le montre *L'activité éducative*, ses ambitions sont différentes, à la fois plus simples et plus profondes.

L'activité éducative est le titre du quatrième rapport du Conseil supérieur de l'éducation qui couvre une période de grandes mutations culturelles en Occident (du 1er septembre 1969 au 31 août 1970). L'essai de 75 pages rédigé par Pierre Angers, avec la collaboration des membres du Conseil, se trouve dans la première partie du rapport. Parmi les membres du conseil, on compte le président, Léopold Garant, un pionnier du syndicalisme enseignant, le vice-doyen de la Faculté des sciences de l'éducation de l'Université Laval, des représentants d'universités et des milieux collégial et secondaire, des porte-parole du milieu syndical et patronal, un étudiant; sous-ministre à l'éducation, le sociologue Yves Martin assiste aux délibérations comme «membre-adjoint»; Pierre Angers est décrit comme «chargé de projet de l'Opération Départ». Comme je l'ai montré plus haut, l'intérêt du père Angers pour «l'activité éducative» n'est pas nouveau, on en trouve même des traces dans certains de ses écrits des années 1950[93]. En mai 1967, il publie, avec le psychologue Yves Saint-Arnaud, pour le compte de la Fédération des collèges classiques, une « brochure d'éducation » intitulée *Propositions sur la relation maître-élève*. Plusieurs des idées que l'on retrouvera quatre ans plus tard dans *L'activité éducative* sont déjà présentes. Les auteurs de cette brochure estiment que l'élève « possède en lui-même les ressources de sa croissance, le principe vital et spontané de la connaissance ». Un bon maître doit être à l'écoute de l'enfant, « respecter les voies que suit librement l'intelligence dans ses propres opérations ». L'état d'esprit de l'enseignant doit être celui d'un « agent coopérateur[94] » qui évite de juger, de blâmer, voire d'évaluer en fonction de critères qui ne sont pas ceux de l'élève lui-même[95].

L'avis de Pierre Angers se veut une réflexion sur les fondements du système d'éducation, non pas une étude qui s'appuierait sur des recherches empiriques. La thèse présentée dans *L'activité éducative* est relativement simple. Le système scolaire fonctionnerait sur « trois plans » bien distincts. Le premier plan de ce système serait celui des structures administratives qui, comme la grande entreprise, doivent administrer les ressources nécessaires octroyées par l'État, gérer le personnel, voir au bon fonctionnement d'une organisation efficace. Le second plan serait celui du régime pédagogique, c'est-à-dire celui des cours et des programmes dispensés dans les écoles, du temps accordé à chaque discipline, « le morcellement des matières à apprendre en tranches annuelles, trimestrielles, hebdomadaires et horaires ». Le régime pédagogique

93. Au milieu des années 1950, Angers présente le collège classique comme « une *communauté vivante* où les rapports quotidiens entre maîtres et élèves constituent un facteur essentiel dans l'éveil de la vie de l'esprit (chez l'adolescent) et dans l'acquisition des vertus intellectuelles et morales ». La tâche du maître, insistait-il déjà, « déborde de toutes parts la transmission des connaissances », elle serait surtout « de nature pastorale ». L'enseignant « est un guide intellectuel qui éveille chez l'élève le pouvoir intérieur et la vision de l'intelligence ; qui le conduit par un choix d'expériences et de constatations particulières sur les voies de la découverte ; qui affirme, fortifie et avive le goût de la vérité. Pierre Angers, « Le rapport sur la coordination de l'enseignement », *Relations*, nº 159, mars 1954, p. 70. L'italique est de lui.

94. Pierre Angers et Yves Saint-Arnaud, *Propositions sur la relation maître-élève*, mai 1967, Fédération des collèges classiques, p. 4.

95. *Ibid.*, p. 7.

accorde selon Angers une place prépondérante au cours magistral, oblige les élèves à assister aux cours, prévoit les critères pour évaluer «la compétence de l'étudiant[96]», la progression par matière, le cloisonnement et l'intégration des sections, l'équivalence des diplômes, etc. Le troisième plan du système scolaire, admet Angers, est moins aisé à circonscrire car il réfère à des réalités plus diffuses mais néanmoins essentielles. Ce troisième plan «se situe dans la vie intérieure de la personne qui s'éduque». L'éducation, postule Angers, serait toujours le fruit d'un cheminement individuel, une donnée fondamentale que négligerait le régime pédagogique[97]. Aux yeux du personnaliste, malgré qu'il fût de loin le plus important, ce troisième plan aurait été négligé au cours des années 1960. Dans ce grand système éducatif, en proie aux divisions, aux vains affrontements idéologiques, aux intérêts multiples[98], il importerait de revenir à l'essentiel, à l'acte éducatif. Par «activité éducative», Pierre Angers entend les «expériences d'apprentissage, d'acquisition de connaissances, de savoir et de savoir-faire» vécues par l'élève. En fait, toute la réussite du système d'éducation dépend de cet acte primordial, de «la qualité des expériences d'apprentissage et d'enseignement qui y sont faites[99]». La réussite de l'activité éducative assure «la croissance et l'épanouissement de la personnalité de celui qui s'éduque», une fin qui, précise Angers, «importe plus que l'acquisition d'un contenu». Avant d'être une «machine à distribuer des diplômes», le système éducatif doit viser «le développement de la créativité, de l'imagination, de l'expression spontanée, de l'autonomie personnelle, de la faculté d'évaluation interne, du jugement[100]».

Selon Pierre Angers, il existerait deux manières bien distinctes de considérer l'activité éducative. La première, inspirée par une «philosophie rationaliste[101]» est qualifiée de «mécaniste». Selon cette conception, l'enseignement serait «un processus de transmission»,

96. *L'activité éducative*, Rapport annuel 1969/70 du Conseil supérieur de l'éducation, État du Québec, 1971.
97. *Ibid.*, p. 24-25.
98. *Ibid.*, p. 8.
99. *Ibid.*, p. 15.
100. *Ibid.*, p. 25.
101. *Ibid.*, p. 37.

l'apprentissage, «un processus de réception». L'image retenue par Angers est «celle du transvasement des connaissances d'un contenant dans un autre contenant». L'enseignant est perçu comme un personnage «supérieur en expérience et en connaissances», il est celui qui «émet des informations» alors que l'étudiant est un «récepteur qui enregistre[102]». Ces mécaniciens de l'enseignement se contenteraient de transmettre «des formules de connaissances toutes faites», traiteraient les élèves comme des êtres passifs qui ne peuvent apprendre que sous la contrainte. Cette conception trop répandue, déplore Angers, «n'atteint pas, en général, l'être profond de l'étudiant, c'est-à-dire ses attitudes; elle ne développe pas le goût de l'étude et de la recherche qui s'enracinent dans la personnalité profonde et le dynamisme vital de la personne». Ce type de pédagogie ne tiendrait pas compte des motivations propres à chaque élève, ni de ses aptitudes à comprendre par lui-même ce qui lui est enseigné.

L'autre conception, celle évidemment qu'Angers privilégie, est qualifiée d'«organique». Cette approche particulière de l'activité éducative repose sur une conception rousseauiste de l'enfance esquissée plus haut dans l'essai qu'il consacre à Péguy. Le postulat philosophique fondamental de cette approche est que «le centre de la nature humaine, les régions les plus intérieures de la personne, le dynamisme vital de la personnalité sont quelque chose de positif». Cette perspective serait étrangère au système scolaire actuel et, par conséquent, «révolutionnaire dans ses implications[103]». C'est qu'avant d'arriver à l'école, les enfants auraient développé leur propre autonomie. Grâce à une créativité innée, spontanée, l'enfant se placerait naturellement en situation d'apprentissage. Ce serait d'ailleurs sans effort, presque sans contrainte, qu'il apprendrait à parler la langue de ses parents. Des expériences américaines novatrices montreraient que des «structures logiques et mathématiques» complexes, souvent abstraites, peuvent être apprises facilement lorsqu'elles «partent des intérêts spontanés des enfants et de leur curiosité naturelle». C'est lorsque l'enfant, et plus tard l'élève, «découvre lui-même ce qu'il apprend», lorsque

102. *Ibid.*, p. 35.
103. *Ibid.*, p. 38.

les éducateurs «s'efforcent de respecter les démarches spontanées de l'activité éducative», que la réussite serait au rendez-vous, selon Angers[104]. Il importe donc de considérer l'apprentissage comme une «expérience active» dont l'élève serait «l'agent principal», sinon «l'expert». «Le maître ne peut que coopérer de l'extérieur à l'activité éducative», explique Angers qui reprend ici le concept d'«agent coopérateur» pour désigner les enseignants[105]. Pour donner les fruits escomptés, l'approche organique nécessite un «profond changement des attitudes[106]». Pour donner quelque résultat «il ne suffira pas que changent les structures administratives et le régime pédagogique; chacun est appelé à changer et à voir les réalités éducatives avec d'autres yeux: le président d'une commission scolaire appelé à élargir les horizons de sa pensée au-delà du territoire de sa région; le professeur appelé à substituer à ses méthodes traditionnelles d'enseignement une pédagogie active[107]». La tâche n'est pas mince, reconnaît Pierre Angers, car «il faut changer les systèmes familiers de référence auxquels la population fait généralement appel; il faut changer le contenu des anciens concepts, changer le style de relations entre les personnes et les groupes, entre les autorités et les enseignants, les autorités et les parents, les autorités et les étudiants[108]». Sans ce tournant radical, la réforme scolaire risque d'entrer dans une impasse, prédit Pierre Angers. Le grand défi du système scolaire serait donc avant tout pédagogique. Seule une activité éducative renouvelée, modernisée, attentive aux besoins de l'élève, permettrait de poursuivre, et d'achever, le processus de démocratisation entamée durant les années soixante. Aux yeux d'Angers, la finalité ultime n'est plus d'apprendre quelque chose de précis, mais d'être en mesure de s'adapter à un monde qui change sans cesse. «Ce que l'étudiant doit apprendre, ce n'est pas un contenu défini de connaissance (en premier lieu), ni telles habiletés particulières, c'est demeurer actif

104. *Ibid.*, p. 26.
105. *Ibid.*, p. 37.
106. *Ibid.*, p. 42.
107. *Ibid.*, p. 41.
108. *Ibid.*, p. 42-43.

et mobile ; ce n'est pas de changer une fois, c'est de se disposer à se transformer sans cesse. » Seule une véritable révolution pédagogique permettra peut-être un jour cette « création perpétuelle de soi-même[109] ».

Les propositions plus concrètes de Pierre Angers découlent tout naturellement de ce dessein révolutionnaire. Puisque l'enfant doit être considéré comme un agent actif de ses apprentissages, il importait absolument de revoir les programmes, trop compartimentés et standardisés, trop « axés sur les exigences intrinsèques de la discipline[110] » et, surtout, trop « abstraits ». Pour que l'apprentissage redevienne une « expérience authentique », il fallait réécrire tous les programmes au plus vite afin qu'ils aient quelque résonance « dans l'expérience vécue de l'étudiant[111] ». Pierre Angers cite en exemple les « programmes-cadres » qui laissent à l'agent coopérateur une plus grande part de liberté : « Ce sont là des innovations avantageuses pour l'activité éducative[112] ». Si apprendre était essentiellement un acte individuel, l'école et le système d'éducation dans son ensemble ne devaient plus prendre en charge l'élève mais laisser ce dernier cheminer à son rythme. « Un apprentissage authentique, écrit Angers, n'est jamais forcé ni imposé de l'extérieur. L'étudiant n'apprend et ne retient que les connaissances qu'il découvre par lui-même et qui prennent pour lui une signification personnelle dans sa vie quotidienne[113]. » Angers attribue en partie la révolte de la jeunesse à une pédagogie de la contrainte[114] et à un savoir étranger à la vie intérieure de l'élève. En plus de revoir les programmes, il fallait aussi transformer les modes d'évaluation. Pour que ces derniers soient judicieux, pertinents, on devait évaluer l'élève en tenant compte de ses aspirations. « L'évaluation de ce qui est produit ou accompli relève d'abord de la personne qui a fait ces choses, croit Pierre Angers. Est-ce que j'ai accompli quelque chose qui me satisfait ? Est-ce que cela exprime une part de moi-même,

109. *Ibid.*, p. 29.
110. *Ibid.*, p. 47.
111. *Ibid.*, p. 48.
112. *Ibid.*, p. 49.
113. *Ibid.*, p. 50.
114. *Ibid.*, p. 52.

– de mes émotions, de mes aspirations, de mes pensées, de ma souffrance et de ma joie?» Il fallait aussi recréer à l'école la même atmosphère qui régnait dans les familles lorsque les enfants, sans même s'en rendre compte, en jouant entre eux, découvraient les rudiments du langage ou les règles élémentaires d'une bonne hygiène de vie:

> Par contraste, imaginons le résultat que l'on obtiendrait de cet enfant si on le mettait dans une école en ne l'autorisant à quitter sa place qu'en des temps réglementés, en ne lui présentant qu'un petit nombre de mots par séance, en le soumettant à des exercices de prononciation, en lui enseignant la grammaire, en lui prescrivant des devoirs, en l'assujettissant à des contrôles périodiques, et en lui inculquant qu'apprendre n'est pas un jeu mais un travail pénible. Placé dans une ambiance psychologique de cette nature, l'enfant perdrait la voie de la facilité d'apprendre une langue; et il éprouverait autant de difficultés et de dégoût qu'un adolescent dans une salle de cours ordinaire de l'enseignement secondaire[115].

Pour contrecarrer ce dégoût de bien des adolescents pour l'école, l'innovation pédagogique, informée par l'approche organique, était la seule voie de salut. Le ministère de l'Éducation devait donc «procéder dès aujourd'hui à des expérimentations et à des recherches», encourager la création d'«environnement éducatif nouveau», financer des recherches qui seraient menées par des professeurs en sciences de l'éducation[116]. Le Ministère devait aussi investir massivement dans les nouvelles technologies. Les connaissances, explique Angers, ne sont plus transmises seulement par les professeurs, elles «traînent partout, sur les ondes de la radio, et de la télévision, dans les livres de poche, les périodiques, les revues et les bibliothèques. Combien d'élèves, combien d'étudiants ont appris à utiliser ces moyens pourtant à leur disposition, à y puiser de façon judicieuse les ressources dont ils ont besoin? Combien ont appris à apprendre par eux-mêmes et à se servir à bon escient de l'immense réservoir d'informations qui s'étend autour d'eux[117]?» De tels outils, en plus de correspondre aux «exigences de la civilisation technologique», permettraient d'adapter l'école aux différentes formes d'intelligence[118].

---

115. *Ibid.*, p. 27.
116. *Ibid.*, p. 66.
117. *Ibid.*, p. 68.
118. *Ibid.*, p. 62.

Les investissements du Ministère dans ces nouvelles technologies, ainsi que dans la recherche en sciences de l'éducation, permettraient à terme de transformer l'activité éducative. La diminution du ratio «enseignant-enseigné», constate Pierre Angers, étant devenue beaucoup trop onéreuse[119], seule une transformation radicale de la pédagogie permettrait la création d'un environnement plus stimulant dans la classe. Avant tout préoccupés par le «rendement élevé» du système d'éducation, les administrateurs avaient tout intérêt à investir dans la recherche en pédagogie[120].

> Le système scolaire est une grande entreprise, note candidement Pierre Angers, ne serait-ce que par l'ampleur des budgets qui sont consacrés et par le rôle essentiel qu'il remplit dans la société. À cet égard, il doit avoir un souci constant de haute productivité. Or, à venir jusqu'à ces derniers temps, le système scolaire était une entreprise sans étude de marché, une entreprise sans service de recherche et une entreprise de caractère artisanal. Il l'est demeuré dans une bonne mesure. Il faut, pensons-nous, sortir de cette situation et donner à la recherche en éducation le rôle capital qui lui revient pour faire progresser le système scolaire[121].

Si Pierre Angers se méfiait autrefois des utopies, la conclusion de son essai est lyrique.

> Ce que l'on a appelé hier «la formation générale» était en réalité un type d'éducation spécialisé qui ne prépare pas à répondre aux urgences du monde actuel. Désormais la situation le commande: les hommes doivent apprendre à vivre paisiblement au sein d'un changement qui les atteint en profondeur; apprendre non la spécialisation mais la diversité des vues, des sentiments, des états de conscience; non le conformisme intolérant et restreint mais l'originalité et la singularité des êtres et des individus; non l'agression et le conflit mais l'échange; non l'âpre accumulation du savoir et des richesses, mais la joie du partage; non l'isolement et la fermeture, mais la communication entre personnes de différents âges, de diverses cultures et de diverses croyances religieuses. En vue de tendre à ces objectifs centrés sur l'épanouissement de toutes les possibilités de la personne, l'éducation doit élargir son champ d'action et entrer d'emblée dans ce que nous avons appelé le modèle organique de l'activité éducative[122].

119. *Ibid.*, p. 69.
120. *Ibid.*, p. 66.
121. *Ibid.*, p. 71.
122. *Ibid.*, p. 75.

On retrouve dans ce passage, en condensé, plusieurs des grandes convictions d'Angers : la fatalité des changements ; la nécessité, pour les affronter, de les accepter, non de les politiser ; l'éducation comme croissance intérieure, épanouissement.

Les écrits postérieurs d'Angers montrent qu'il est resté fidèle à cette conception à la fois généreuse et utopique de l'éducation et de la pédagogie. Dans un ouvrage publié en 1993, dans lequel il est interrogé par des disciples, il persiste et signe. Sa critique de la culture classique s'est toutefois muée en relativisme. Les anciens éducateurs, déplore-t-il, croyaient à l'existence d'une seule et même culture, voire à l'existence d'une nature humaine atemporelle, elle ne s'intéressait pas à la «diversité des peuples et des cultures[123]». Or, insiste Angers, «il y a autant de cultures qu'il existe de systèmes de valeurs et de significations[124]», d'où la nécessité de voir émerger une culture «pluraliste[125]» et «branchée sur l'intériorité[126]». Le grand défi des temps nouveaux, un défi qu'auraient négligé les auteurs du rapport Parent, insiste Angers, fut «d'inventer une conception et une pratique de l'apprentissage et de la pédagogie qui soient en harmonie avec les exigences du mode de vie et de la culture du monde contemporain[127]». Il ne fallait pas seulement voir se multiplier les écoles pour atteindre une véritable démocratie éducative, mais surtout miser sur des méthodes plus actives d'apprentissage «capables de rejoindre tous les enfants, y compris les plus distants et les moins préparés par leur éducation familiale[128]». Pierre Angers continue de prôner une méthode axée davantage sur les processus que sur le contenu lui-même. «La juste manière d'apprendre, explique-t-il, et la maîtrise de la méthode sur laquelle elle repose importent davantage que toutes les connaissances contenues dans les programmes, car elle seule permet de les comprendre à fond et de les utiliser avec discernement[129].»

---

123. Pierre Angers, *La genèse d'une recherche sur l'art d'apprendre*, Montréal, Bellarmin, 1995, p. 18.
124. *Ibid.*, p. 19.
125. *Ibid.*, p. 20.
126. *Ibid.*, p. 24.
127. *Ibid.*, p. 28.
128. *Ibid.*, p. 63.
129. *Ibid.*, p. 38.

Jusqu'à la fin, il mise sur une pédagogie de la découverte, sur un apprentissage qui devait, selon lui :

> [faire] appel à l'activité réelle et spontanée des enfants ; qui créait en classe un contexte d'activité autonome où les enfants, orientés et sans cesse stimulés par le maître, découvraient eux-mêmes les notions à apprendre ; qui établissait un environnement d'activité intellectuelle où les enfants travaillaient ensemble, échangeaient entre eux, collaboraient à une œuvre commune, s'entraidaient par des stimulations réciproques et un contrôle mutuel ; un contexte où ils avaient l'occasion de former leur conscience en apprenant à comprendre et à respecter les droits, les libertés et les points de vue des autres[130].

* * *

Quelles conclusions tirer du parcours intellectuel de Pierre Angers, de ses réflexions sur l'activité éducative ? Plusieurs...

Le cheminement du père Angers est emblématique. Il n'était pas nécessaire d'être athée, de militer au sein du Mouvement laïc de langue française ou d'être un jeune militant de l'extrême gauche pour réclamer, au milieu des années soixante, une réforme radicale de l'école. Cette volonté de voir émerger un nouveau rapport entre le maître et l'élève n'était pas seulement promue par les psychologues d'avant-garde, elle ne peut être rattachée à la seule révolution culturelle de la seconde moitié des années soixante[131]. Pour saisir la genèse de ce révolutionnarisme pédagogiste, il n'est pas inutile de revisiter certains courants de pensée très influents au sein de l'Église catholique, et qui furent à l'origine de plusieurs principes de Vatican II. Au sein même de l'Église – l'Église des « œuvres » surtout –, on retrouvait de grands lecteurs de Péguy comme le père Angers, arrivé à l'âge adulte durant les années 1930, convaincu d'appartenir à une génération à qui il incombait de rompre avec un passé obscurantiste. Dominé par l'hypocrisie d'une bourgeoisie qui se rendait à l'église par convenance plus que par conviction, par les superstitions d'un peuple qui comprenait mal la portée du message

130. *Ibid.*, p. 64.

131. Comme le laisse voir le texte suivant, tiré d'un manuel québécois d'histoire de la pédagogie, qui traite de *L'activité éducative.* Voir Denis Simard, « Carl Rogers et la pédagogie ouverte », dans Clermont Gauthier et Maurice Tardif (dir.), *La pédagogie. Théories et pratique de l'Antiquité à nos jours*, Montréal, Gaëtan Morin éditeur, 2e édition, 2005, p. 209-235.

de Jésus, par une Église qui préférait exercer un contrôle serré sur ses ouailles plutôt que de chercher à voir surgir chez chacun de ses fidèles les étincelles d'une foi authentique, ce passé n'avait plus rien à nous apprendre. Cette révolution spirituelle à laquelle a tant rêvé cette génération personnaliste nécessitait une grande réforme, non seulement de l'Église, mais de la société. Leur but n'était pas la sécularisation, encore moins l'abandon de la religion. Les réformes qu'ils proposèrent visaient au contraire une sorte de renouveau religieux, une redécouverte de la foi. Or pour ceux qui, comme le père Angers, communiaient à la nouvelle éthique personnaliste, l'intensité de la foi ne pouvait être transmise de l'extérieur par un clerc en possession tranquille de la Vérité. La foi était avant tout une expérience personnelle, une quête spirituelle, laquelle ne pouvait être décortiquée dans des manuels, formatée dans un enseignement magistral, encore moins évaluée en fonction de critères externes. Inquiet de sa destinée terrestre, le fidèle était accompagné par le clerc dans un cheminement qui ne regardait que lui. Cette pédagogie personnaliste de l'accompagnement, respectueuse de la vie intérieure du fidèle, fut tout naturellement transposée à l'école par le père Angers. Plutôt que de dispenser un savoir désincarné du haut de sa chaire, le maître devenu «agent coopérateur» devait partir du vécu de l'élève, de sa vie intérieure, de sa réalité et accompagner l'élève dans ses apprentissages.

Ce qui frappe aussi lorsqu'on lit les écrits de Pierre Angers, c'est cette volonté de dépolitiser à tout prix le débat sur l'école et la pédagogie, cette manière de présenter les changements et les réformes proposés comme des fatalités. Si le croyant qu'était Angers se garde bien de souscrire à quelque déterminisme historique, son plaidoyer sur la civilisation technique en a toutes les allures. Il en est de même de son postulat sur la démocratisation de l'éducation qui, à ses yeux, devait nécessairement passer par une révolution pédagogique. Sont tour à tour invoqués des arguments d'autorité comme le progrès, la science, l'efficacité, le bien de l'enfant pour justifier ses propositions qui, jamais, faut-il le rappeler, ne reposent sur des études empiriques. Constamment, il assimile la critique des mutations du système d'éducation à une sorte de peur pathologique du changement, à de vaines fixations sur un passé révolu. Sauf dans quelques notes de bas de page, Pierre Angers ne discute d'ailleurs jamais sérieusement les arguments des autres. Il y a dans ce refus du débat quelque chose de paradoxal pour l'époque. Si le gouvernement libéral fonde un ministère de l'Éducation, n'était-ce pas précisément pour que la société et ses citoyens se réapproprient un champ qu'on avait laissé à quelques évêques? Tout se passe comme si, avec Pierre Angers, on était passé «des bons pères aux experts», pour reprendre l'heureuse formule de Jean Gould. Les clercs d'antan invoquaient la morale, un savoir philosophique et théologique, ceux de la génération d'Angers invoqueront désormais une expertise technique et scientifique, celle des sociologues tournés vers la prospective ou des psychologues dernier cri. Les premiers invoquèrent Dieu, les seconds la Science, mais les uns et les autres furent dans le Vrai et eurent tendance à réduire la contradiction à de la *mauvaise foi*. Dans l'esprit d'Angers, le rôle du ministère de l'Éducation et celui du Conseil supérieur de l'éducation étaient de mettre en œuvre ce qui était tenu pour vrai, non de tenir compte des différentes positions en présence ou de tenter des compromis. Non seulement l'État devait-il planifier le développement du système scolaire mais aussi changer les mentalités, apprendre aux gens comment penser l'acte d'éduquer dans un monde en pleine mutation.

S'il réduit les idéologies à des querelles sur le sexe des anges, il tient pourtant pour évidentes des idées qu'il aurait été prudent d'exposer aux lumières de la critique. Pour lui éviter un mauvais procès, on pourrait certes dire que les idées du père Angers sur l'enfance sont généreuses, pleines d'idéalisme. Sont-elles pour autant vraies? L'école à laquelle il a rêvé était centrée sur l'épanouissement de l'enfant, tenu pour un être pur, désintéressé, intègre. Quiconque a eu des enfants, quiconque a enseigné devine les limites d'un tel postulat. À sa manière, Pierre Angers est un maître du soupçon. Il semble tenir pour acquis que le maître, que l'école, que la société même, ont été créés pour embrigader l'enfant, contenir sa liberté créatrice, corrompre sa belle innocence. L'œuvre d'Angers, comme du reste celle de plusieurs autres personnalistes, a une forte teneur contre-culturelle en ce sens qu'elle offre des munitions à une critique radicale de l'idée d'institution. C'est que l'auteur des *Réflexions sur l'enseignement* rêvait d'abolir toutes les médiations entre l'élève et ce qui devait venir de l'extérieur. Dans *L'activité éducative*, on évoque à quelques reprises «celui qui s'éduque» mais on ne retrouve pas le célèbre concept du «s'éduquant». C'est dans le deuxième livre du volumineux rapport de l'Opération Départ publié en mai 1971 que l'on retrouve ce terme qui symbolise aujourd'hui les errements de cette époque. L'apprentissage authentique devait découler d'un changement intérieur, être le fruit d'une expérience personnelle, se faire dans la joie et procéder d'une «évaluation organismique[132]»! Toute volonté extérieure qui venait interférer avec un cheminement particulier était perçue comme une contrainte. Outre le «programme-cadre» dont on connaît les torts irréparables pour nombre de jeunes, notamment dans l'enseignement du français[133], aucune proposition concrète ne fut mise en avant par Angers pour rendre cette nouvelle pédagogie opérationnelle. Les enfants furent laissés à eux-mêmes, à leur vécu, à leur dedans, à leurs limites surtout. Aucun maître pour leur faire découvrir un monde nouveau, inédit, fascinant mais néanmoins extérieur. Aucun adulte pour incarner une civilisation, un monde à venir. Alors qu'il peste contre les idéologies, Pierre Angers se fait lui-même l'idéologue d'un égalitarisme radical, réduit à néant

132. *Rapport de l'Opération départ (Montréal)*, Direction générale de l'éducation permanente, Ministère de l'Éducation, État du Québec, mai 1971, Livre II, p. 57, 60, 63, 68, 75, 87-88. Les auteurs justifient ainsi la substitution du «s'éduquant» à «l'étudiant»: «Plusieurs raisons nous ont amenés à substituer le terme du «s'éduquant» à celui «d'étudiant». Il y a d'abord des raisons qui tiennent à la rupture que nous voulons marquer entre notre conception de l'éducation et la conception la plus courante. Dans l'usage courant, l'éducation est conçue comme une action qu'une personne mieux équipée exerce sur une autre personne moins bien équipée ; ou comme un bien qu'une personne donne à une autre, ou lui «transmet», ou lui «impose». Selon notre conception, l'éducation est plutôt un «développement» (dans l'ordre du savoir, du savoir-faire, du savoir-être) qu'une personne se donne à elle-même et que seule elle est apte à se donner, personne d'autre ne pouvant le faire à sa place. Or, le terme «étudiant» est trop contaminé par son association à la pédagogie traditionnelle: il n'est pas possible de le conserver dans la perspective nouvelle qui inspire notre modèle», p. 76.

133. Nicole Gagnon (avec le concours de Jean Gould), *Le dérapage didactique. Comment on a cessé d'enseigner le français aux adolescents*, Montréal, Stanké, 2001, 206 p. Dans cet ouvrage, Nicole Gagnon, que je remercie pour son aide, consacre plusieurs pages éclairantes aux conceptions pédagogiques de Pierre Angers.

une expérience accumulée au fil des siècles par des éducateurs certes imparfaits mais généralement soucieux de transmettre les plus beaux fruits de la pensée humaine aux générations futures.

Ce qui dérange, ce qui exaspère surtout dans cette pensée centrée sur le «s'éduquant», c'est ce lien établit par Angers entre la réussite de l'élève et la pédagogie. Tout se passe en effet comme si le succès des élèves, notamment ceux des milieux plus difficiles, dépendait uniquement des innovations pédagogiques. Une telle perspective ne pouvait que conduire à une déresponsabilisation de l'élève, de l'école, des parents et de la société et, à l'inverse, faire porter sur les épaules des enseignants tout le poids de la réussite. En présentant le système d'éducation comme une grande entreprise, les Facultés des sciences de l'éducation comme des départements de recherche et développement, les nouveaux managers à la tête des écoles et des commissions scolaires eurent beau jeu de pointer du doigt ces enseignants réfractaires aux innovations et aux changements. Comme le montre noir sur blanc le quatrième avis du Conseil supérieur de l'éducation, il n'était déjà plus question, à la fin des années 1960, de réduire le ratio maître-élèves, une mesure beaucoup trop coûteuse, explique-t-on. Pour répondre aux promesses de démocratisation annoncées depuis le début des années soixante, assurer à tous un diplôme et des qualifications de base, il fallait que le ministère de l'Éducation, et les politiciens, trouvassent une solution à court et moyen terme. *L'activité éducative* annonce cette solution. Puisque les classes ne pouvaient être réduites, on allait investir dans les recherches en pédagogie. Le calcul était rationnel. Pour l'État, il en coûterait toujours moins de financer à grands coups de millions les «recherches-action», les groupes de travail sur le «s'éduquant», les colloques internationaux des chercheurs en pédagogie que de tout simplement réduire le nombre d'élèves par classe. De plus, ces investissements en «recherche et développement» ont permis aux politiciens de gagner du temps face à des électeurs qui jugeaient sévèrement la «performance» du système scolaire. Ces investissements permettaient aussi de réduire au silence des professeurs d'université dont les subventions de recherche dépendaient désormais d'un pouvoir politico-administratif. Les chercheurs subventionnés par le ministère de l'Éducation n'osèrent plus critiquer la main qui les nourrissait, perdirent ainsi tout sens critique, se firent les apôtres des réingénieries les plus loufoques qu'inspiraient parfois leurs travaux[134].

On a beaucoup dit que la réforme scolaire récente avait été détournée de son intention originelle, que d'une saine refonte du curriculum, censée accorder plus d'espace aux matières de base, elle s'était muée en «renouveau pédagogique». On y a vu un dévoiement, presque une trahison par rapport à l'intention politique initiale. On a aussi dit que le socioconstructivisme, une pédagogie par projets centrée sur l'élève, découlait d'une philosophie relativiste. Tout cela est certainement vrai. Quand on y regarde de plus près cependant, on s'aperçoit que cette réforme scolaire commencée par le Parti Québécois, poursuivie par le Parti libéral, participe d'une histoire beaucoup plus longue. Les croyances investies dans le «renouveau pédagogique», défendues becs et ongles par la plupart des ministres de l'Éducation depuis l'an 2000, furent celles d'un Pierre Angers et de toute une génération née bien avant que ne commence la Révolution tranquille. Donner à penser qu'on pourrait améliorer la réussite scolaire en transformant radicalement l'évaluation, en évitant le stigmate du redoublement et, surtout, en révolutionnant la pédagogie; laisser croire qu'on pourrait un jour enrayer le décrochage scolaire sans toucher au ratio maître-élèves, sans remettre en question les valeurs qui dominent notre société, sans interpeller les élèves, les parents; faire croire que l'échec scolaire résultait de l'école elle-même, en tant qu'Institution médiatrice, et d'un savoir abstrait, étranger au vécu de l'enfant, telle fut la grande utopie à laquelle souscrivit Pierre Angers.

134. Marc Chevrier, «Le complexe pédagogo-ministériel», *Argument*, vol. 9, nº 1, automne 2006-hiver 2007, p. 21-34.

L'école-machine

Jacques Dufresne

Il faut toujours s'attendre à ce que les choses se passent conformément à la pesanteur, sauf intervention du surnaturel.

Simone Weil, *La pesanteur et la grâce.*

La question de la religion telle qu'elle est posée dans le cadre du débat sur le nouveau cours d'éthique et de culture religieuse semble être à la périphérie de la question de l'éducation au Québec. Elle en est plutôt le cœur. Parce que les principaux artisans de la grande réforme des années 1960 ont été un frère enseignant, Jean-Paul Desbiens et un prêtre catholique, recteur d'une grande université, Mgr Joseph-Marie Parent, on a cru qu'elle s'opérerait sans rupture avec la religion. Jean-Paul Desbiens lui-même l'a cru. Dans *Sous le Soleil de la pitié*, il écrit: «L'originalité de notre révolution scolaire, c'est qu'elle ne se fait pas contre la religion chrétienne. Elle se fait au nom du réalisme et de la démocratie.» N'était-il pas à craindre que l'inspiration chrétienne ne disparaisse en cours de route? Jean-Paul Desbiens éprouvait sans doute cette crainte car, dans le même ouvrage, il déplore l'effondrement de la culture religieuse: «Il demeure pour moi inexplicable que nous en soyons rendus là. Là, c'est-à-dire à ce point de désintégration, à cet abîme d'ignorance religieuse même chez nos universitaires, nos étudiants. Est-ce la sanction inévitable de toute tentative de vouloir édifier une chrétienté, au sens où on l'entendait au Moyen âge?»

Si elle ne s'est pas faite contre la religion chrétienne spécifiquement, la révolution scolaire s'est faite, chose encore plus lourde de conséquences, contre l'idée même de religion ou pour être plus précis, contre la conviction qu'en raison de la faiblesse de sa nature, l'être humain a besoin d'une nourriture surnaturelle pour s'accomplir. On peut rattacher cette dernière conviction à l'humanisme théocentrique, centré sur Dieu et la conviction opposée à l'humanisme anthropocentrique, centré sur l'Homme. Lors de notre révolution scolaire nous sommes passés du premier de ces humanismes au second.

Cette conversion, car c'est bien d'une conversion, d'un retournement qu'il s'agit, semble avoir reçu l'assentiment des Québécois, même si encore aujourd'hui ils se déclarent à 85% catholiques. Ils y ont vu surtout le signe d'une modernisation qui leur paraissait nécessaire, sans s'inquiéter outre mesure des excès auxquels elle pouvait donner lieu. Ils ne se sont pas demandés, par exemple, si le Québec, qui a la réputation d'être un laboratoire social, n'aurait pas poussé les choses trop loin, plus loin en cinquante ans que la France en deux cents ans. S'ils ont éprouvé des craintes, ils les ont surtout exprimées par des actes, par exemple, en inscrivant leurs enfants en nombre croissant dans les écoles privées, ayant la réputation d'être plus fidèles aux traditions. Quant aux conséquences lointaines (désormais proches), faut-il leur reprocher d'avoir tenté de les éviter en se réfugiant en grand nombre dans les sectes?

Je voudrais jeter quelque lumière sur ces conséquences en parcourant les étapes qui ont fait passer la religion, et avec elle le transcendant, du cœur de l'école et de la cité au sous-sol du grand musée des cultures. Tout a commencé par la laïcisation du système d'éducation publique, tout s'est poursuivi imperceptiblement par la rupture des ponts reliant l'homme au transcendant. Les plus importants de ces ponts sont:

- la connaissance globale;
- le monde réel;
- les génies, les héros, les sages et les saints;
- les chefs-d'œuvre de l'art et de la littérature;
- la nature.

La connaissance globale

La compréhension que l'on peut avoir d'une personne, d'un paysage ou d'une œuvre d'art en les regardant est une connaissance globale de ces objets. Le regard se porte alors spontanément sur l'objet dans sa totalité. Au XXe siècle surtout, on a eu tendance à discréditer cette forme de connaissance parce qu'elle comporte une grande part de subjectivité. On la réhabilite maintenant sous le nom de *sciences de la qualité*, lesquelles sont présentées comme un complément nécessaire aux *sciences de la quantité* fondées sur l'approche réductionniste: descendre, pour expliquer les choses et les phénomènes jusqu'à leurs parties les plus petites et les plus simples: l'atome, le gène, ou en psychologie, le comportement de base. Si de nombreux scientifiques, les biologistes en particulier, dont Stephen Jay Gould[1], ont reconnu les limites de cette approche, elle a néanmoins été la tendance dominante au XXe siècle et il n'a pas manqué d'esprits simplistes et fanatiques pour décréter que c'était la seule façon de faire de la science.

Alors qu'elle devrait être un pur fait de méthode, cette approche est alors devenue une prise de position en faveur du déterminisme et d'une conception mécaniste du monde. Il en est résulté un discrédit de la connaissance globale et subjective. Des ponts vers le transcendant, comme l'amour et le sentiment de beauté, étaient ainsi ébranlés. Ce sont là en effet des formes de connaissance globale enrichie d'affectivité: à force d'être invité à expliquer les comportements des personnes et leur être même par leurs gènes ou leurs conditionnements antérieurs, on en vient à les considérer et à les traiter comme des machines.

Dans l'histoire récente des réformes de notre système d'éducation, il y en eut une, celle de l'enseignement par objectifs, qui fut une conversion à l'approche réductionniste sous la forme qu'elle a prise en psychologie, soit le behaviorisme, doctrine expliquant la fabrication de la personnalité par voie de conditionnement à partir des comportements les plus simples. Le psychisme de l'enfant n'était plus dans ce contexte qu'un mécanisme vide au départ, sautillant d'un atome de connaissance à un autre grâce à l'énergie du morceau de sucre accordé à chaque réussite!

Jusqu'à ce moment, l'évaluation traditionnelle des travaux d'élève fondée sur le regard d'ensemble avait résisté aux critiques.

1. Stephen Jay Gould, *The Flamingo's Smile*, Norton, New York, 1985, p. 377-391.

Pour le professeur, une dissertation était une œuvre d'art qu'il considérait d'abord dans son ensemble, avant d'en faire l'analyse en soulignant les fautes au passage. Cette forme d'évaluation tomba en discrédit en même temps que toutes les autres formes de connaissance globale. L'examen objectif, corrigé par ordinateur, la remplaça. La pensée de l'élève était ainsi condamnée à se disséquer elle-même en se formant. Son élan vers l'unité était brisé. Un autre pont vers le transcendant s'effondrait.

Il faut reconnaître toutefois que la réforme actuelle est en grande partie une réaction contre ce réductionnisme, du moins si l'on en croit Paul Inchauspé. Il fallait, précise-t-il, faire sauter «les verrous de la conception skinnérienne du programme d'études[2]». Mais voyons la suite. Après avoir appelé de ses vœux le décloisonnement des disciplines et la réalisation de projets multidisciplinaires, autres aspects positifs de la réforme, Inchauspé s'indigne de ce qu'une coalition de professeurs de sciences de l'éducation et de fonctionnaires ait détourné le projet initial de ses fins. Avant ce détournement, la réforme portait uniquement sur les programmes et laissait aux enseignants une grande liberté sur le plan pédagogique. Après, elle était devenue une opération idéologique. Paul Inchauspé cite à ce propos ce passage d'un discours d'un haut fonctionnaire: «Il n'y aura de réforme que s'il y a un véritable changement de pratique pédagogique, et il ne peut y avoir de changement de cette nature sans connaître le fondement de ces pratiques nouvelles: la théorie socioconstructiviste de l'apprentissage[3].»

Le monde réel

Que peut devenir le rapport au réel dans le contexte créé par une telle théorie? Selon la tradition, le réel est cette matière unie à une forme que je connais par l'intermédiaire de mes sens. On appelle réalistes, les philosophies comme celles de Platon, d'Aristote et de saint Thomas selon lesquelles Dieu est à l'origine de la forme unie à la matière. Une autre école de pensée – l'idéalisme – ayant des racines profondes dans la modernité enseigne que l'objet de

2. Paul Inchauspé, *Pour l'école*, Liber, Montréal, 2007, p. 94.
3. *Ibid.* p. 101.

connaissance n'est pas donné et reçu passivement, mais construit par l'intelligence humaine à partir des données confuses de la sensation. Diverses écoles actuelles, dont le socioconstructivisme, ont porté cette façon de voir à une limite où il n'y a plus de critère pour juger de la qualité du rapport au réel, pour distinguer le vrai et le faux, le bien et le mal, le beau et le laid. C'est le relativisme. Tout est construit selon les caractéristiques subjectives de celui qui construit. Ainsi affairé à construire en équipe *sa vérité* quelle raison l'élève aurait-il de chercher *la vérité* dans le réel que lui révèlent ses sens? Un autre pont vers le transcendant s'effondre.

Il y a un lien étroit entre ce détournement et la notion de compétence qui occupe une place centrale dans la réforme actuelle. Après avoir évoqué le réalisme platonicien, George Leroux, le charmant sophiste, l'un des penseurs de la réforme, disait récemment à des éducateurs: «Je vous invite à laisser de côté, dès le point de départ, cette approche, toujours déjà marquée par un certain conservatisme[4].» Ce rejet des formes platoniciennes est aussi un rejet des repères universels, lesquels par définition conservent leur valeur et leur pertinence dans toutes les époques. Sur quoi peut-on s'appuyer quand on a rompu avec ces repères? Sur l'histoire. Et c'est effectivement en s'appuyant sur l'histoire que Georges Leroux justifie le passage du savoir aux compétences:

> Dans le contexte de la libéralisation étendue de notre société, nous assistons à une mutation gigantesque dont nous commençons à peine à prendre la mesure: je veux parler du passage d'une société des savoirs à une société de l'expertise et des compétences, ces deux modèles faisant suite au modèle antérieur de la société des vertus.

Gigantesque mutation! Ceux qui ne l'ont pas vue doivent être alors bien petits! Mais selon Georges Leroux, ils sont plutôt myopes:

> [...] Pour en comprendre les enjeux, il faut en effet se situer sur la longue durée. *Vertus, savoirs et compétences*, ce sont donc pour moi les grands idéaux que, de manière successive, l'humanité a choisi de privilégier dans ses modèles de transmission, dans sa proposition du monde[5].

4. Conférence prononcée lors du colloque de l'Association de pédagogie collégiale, à Trois-Rivières, le 3 juin 2009.
5. *Ibid.*

Vous aurez compris que les vertus et les savoirs sont dépassés!

À supposer que cette mutation gigantesque corresponde à des faits, qu'elle soit, par exemple, l'équivalent de l'extinction subite des dinosaures, rien ne prouve que les événements vont confirmer la séquence conduisant aux compétences. Les marxistes d'avant la chute du mur de Berlin raisonnaient de la même manière: le mouvement de l'histoire devait conduire nécessairement au socialisme. Le raisonnement de Georges Leroux s'apparente aussi à un sophisme souvent utilisé: la transformation de l'objectif en idéal. Je veux l'avènement des compétences; pour les obtenir il ne me reste plus, après en avoir fait des nécessités historiques, qu'à les présenter comme des idéaux: «ces grands idéaux que, de manière successive, l'humanité a choisi de privilégier».

Encore faudrait-il démontrer en quoi les compétences se distinguent des savoirs. J'ai cherché en vain des exemples de compétences qui ne reposaient pas sur des savoirs. La compétence est un faisceau de savoirs. Je dois respecter la femme qui porte la burqa. Ce respect est une compétence, selon la définition du dictionnaire socioconstruit de nos réformateurs. Je m'élèverai jusqu'à cette compétence avec d'autant plus de conviction que je connaîtrai la signification du voile pour la femme, dans plusieurs traditions religieuses, y compris dans la tradition chrétienne. C'est là un savoir sans lequel la compétence exercée se réduit à un comportement de façade plus proche du réflexe que de l'acte libre. Cette opération consistant à séparer les compétences du savoir a un nom: endoctrinement. Ce que Joëlle Quérin a bien vu:

> L'école se confie ainsi la mission de faire en sorte que la société se perçoive autrement qu'elle ne le fait en ce moment, que les enfants n'adoptent surtout pas les comportements de leurs parents. Jugeant la population inapte à se définir elle-même, coupable de «repli nostalgique», ou encore de «repli identitaire et nationaliste» les concepteurs du programme ECR considèrent qu'il n'y a «qu'une thérapie possible» pour éviter que la controverse des accommodements raisonnables ne se reproduise: l'endoctrinement des jeunes. Le cours ECR ne cherche pas à instruire les enfants, il n'a que des «finalités sociales», c'est-à-dire des objectifs de transformation sociale[6].

6. Joëlle Quérin, «L'endoctrinement bien-pensant», *L'Action nationale*, mars 2009, p. 113.

Les grandes figures

Avec les compétences viennent les projets; ce sont les deux mots clés de la réforme, qui est elle-même un projet où construire est plus important qu'apprendre et contempler et où, par suite, on met l'accent sur le faire plutôt que sur l'être, tandis que le regard est invité à se tourner vers l'avant plutôt que vers le haut. La prophétie de Marx se réalise ainsi: «Jusqu'à ce jour les hommes n'ont fait qu'interpréter le monde, l'heure est venue de le transformer.»

On s'éloigne par là de la pédagogie de Plutarque, l'auteur des *Vies en parallèle des hommes illustres* de l'antiquité: Alexandre, Démosthène, Cicéron, César, etc. Ce livre, la seconde bible dans les écoles européennes depuis la Renaissance jusqu'au XIXe siècle, a été l'une des principales sources d'inspiration de Montaigne et de Shakespeare et aussi de Rousseau et de Montesquieu. Les génies, les sages et les saints avaient leur place à côté de ces héros. Ainsi prenait forme et vie, au-dessus de l'enfant, une société idéale à laquelle il était invité à s'intégrer pour bien servir sa communauté réelle. C'est cette cité idéale que Raphaël a représentée dans son célèbre tableau intitulé *L'École d'Athènes*. Il existe même des filiations au second degré, comme dans le cas où Nietzsche rend à Montaigne l'hommage que ce dernier avait rendu à Plutarque: «Depuis que j'ai fait connaissance de cette âme, la plus libre et la plus vigoureuse, il me faut dire de lui ce qu'il a dit de Plutarque: "À peine ai-je jeté les yeux sur lui, qu'il me pousse une jambe ou une aile"[7].»

Certes, en compagnie d'Alexandre et de César, on est loin du surnaturel, on est proche de la grandeur toutefois et on acquiert l'habitude de regarder au-dessus de soi, ce qui est selon Ovide le propre de l'homme qui, distinct «des autres animaux dont la tête est inclinée vers la terre, [...] put contempler les astres et fixer ses regards sublimes dans les cieux. Ainsi la matière, auparavant informe et stérile, prit la figure de l'homme, jusqu'alors inconnue à l'univers». En regardant vers le haut, on apprend aussi à triompher du pire obstacle au progrès intérieur, le ressentiment, lequel incite à mépriser

---

7. Nietzsche, cité par Louis Godbout dans, *Nietzsche ou la probité*, Éditions Liber, Montréal 2008, p. 57.

ce à quoi on n'a pas accès. Ce que Hugo et Goethe avaient compris. « L'envie a l'éblouissement douloureux », dit le premier. « Devant la supériorité il n'y a de salut que dans l'amour », dit le second. Dans le même esprit Albert Camus avait écrit: « Je m'efforce de ne pas mépriser ce à quoi je n'ai pas accès. » La réforme est plutôt dictée par le ressentiment que dirigée contre lui. L'accent qu'on y met sur l'égalité, non pas l'égalité des chances mais celle des résultats, ne laisse aucun doute à ce sujet. J'ai cherché en vain les mots admiration, contemplation, émulation dans les deux principaux documents sur la réforme disponibles sur le site du MELS, *Le Renouveau pédagogique*[8] et *Échelles des niveaux de compétence*[9]. Pas une occurrence! Pas une! Pas une occurrence non plus du mot attention. C'est logique: il arrive souvent que l'admiration soit la récompense de l'attention. Si l'on a proscrit l'admiration, il vaut mieux proscrire également l'attention. J'ai eu un peu plus de chance avec le mot réflexion. Je ne m'attendais certes pas à le trouver parmi les compétences. La réflexion a en effet trop d'affinités avec la contemplation pour mériter le titre de compétence. Je l'ai par contre trouvé à deux endroits dans le *Renouveau pédagogique*; dans l'une des occurrences toutefois, l'élève n'est pas invité à réfléchir tout simplement, il est invité à « explorer de nouvelles pistes de réflexion ». Le dynamisme que connote le verbe explorer est davantage dans l'esprit des compétences qu'une réflexion qui, laissée à elle-même, pourrait ressembler à la méditation ou au recueillement!

Le besoin d'admirer et de pratiquer l'émulation n'est pas mort pour autant dans l'âme des adolescents. Refoulé dans le cadre de l'école, il rejaillit jusqu'à l'excès dans le cadre de concours comme Star Académie et sans doute aussi, dans les jeux vidéo. Mais entre-temps, l'objet de l'admiration s'est modifié: de modèle, il est devenu image. J'appelle ici image une vedette de fabrication humaine, dans laquelle chacun se reconnaît et devant laquelle chacun peut se dire: avec de la volonté et de bons maîtres, je pourrai l'égaler. J'appelle

8. Ministère de l'Éducation, du Loisir et du Sport, État du Québec, 2005, 12 p. Disponible en ligne : <http://www.mels.gouv.qc.ca/lancement/Renouveau_ped/452755.pdf>.
9. *Échelles des niveaux de compétence, Enseignement secondaire, premier cycle*, Ministère de l'Éducation, du Loisir et du Sport, État du Québec, 2006, 104 p. Disponible en ligne : <http://www.mels.gouv.qc.ca/DGFJ/de/echellessec.htm>.

modèle une grande figure qui est d'abord une œuvre de la nature et qui est perçue comme telle. C'est le cas des athlètes qui ont inspiré des poèmes sublimes au poète Pindare, lequel apercevait une étincelle de divinité dans cette perfection naturelle. Voilà pourquoi les grandes figures, même quand elles sont très éloignées de la sainteté de Gandhi ou de la sagesse de Socrate, sont des ponts vers le transcendant. Ces ponts sont évidemment d'autant plus solides et précieux à mesure qu'on s'élève dans la hiérarchie des grandes figures.

Il subsiste heureusement une part de modèle dans les images. Et quand on m'apprend que dans le concours Star Académie on offre des cours aux participants, j'en viens à penser que c'est là un exemple que l'école devrait suivre. Les concours oratoires des collèges classiques sont un précédent intéressant. Puisque les formes de la rhétorique ont changé et que la présence des médias au cours de ces événements semble cruciale, ne pourrait-on pas organiser des concours d'interview?

Les chefs-d'œuvre

Lire et apprécier des textes *variés*
Écrire des textes *variés*
Communiquer oralement selon des modalités *variées*.

Telles sont les compétences visées dans l'enseignement de la langue maternelle au premier cycle du secondaire. L'adjectif varié est l'un de ceux qui reviennent le plus souvent dans le document *Échelles des niveaux de compétence*[10]. On n'y trouve cependant aucune occurrence des mots beau et beauté. Cette qualité ne fait pas partie des critères pour le choix des textes à lire et l'évaluation des textes écrits. De toute évidence, l'omniprésence de la notion de variété est destinée à garantir l'atteinte du premier objectif: renforcer le pluralisme.

Si l'admiration est proscrite et entraîne les hiérarchies dans sa chute, si la beauté est remplacée par la variété et le modèle par l'image, la notion même de chef-d'œuvre perd son sens. Persuadé que je ne trouverais aucune occurrence du mot chef-d'œuvre dans mes sources ministérielles, je me suis replié sur le mot grand.

10. *Ibid.*, p. 6.

J'ai trouvé: *grandes* étapes, *grands* nombres, *grands* axes, *grand* groupe, et enfin, *grande* uniformité. J'ai éprouvé un éphémère frisson de joie quand j'ai aperçu le mot grand dans les parages de l'expression «œuvres musicales». Faux espoir. Ce sont les formations musicales et non les œuvres qui peuvent être grandes.

Certains ne voient dans les classiques que des œuvres entourées d'un prestige universitaire qui intimide les gens. C'est là un reproche mérité. Simone Weil reprochait aux érudits d'entourer les tragédies grecques d'un faux prestige qui en éloignait les seuls qui étaient préparés à les comprendre par leur vie quotidienne: les ouvriers. Et en particulier ceux qui étaient condamnés à répéter les mêmes gestes sur une chaîne de montage jusqu'à la fin de leur vie. D'autres voient dans les chefs-d'œuvre le reflet d'une hiérarchie sociale qui se reproduit à travers eux. C'est une idée très répandue parmi les réformateurs de nos écoles.

Georges Leroux, quant à lui, toujours fidèle à la réforme et toujours prêt à la défendre de toute l'autorité de son moi, présente les classiques comme les vestiges d'une unanimité dans l'universel qui n'a plus de sens dans le contexte du pluralisme actuel. «J'admire, précise-t-il, des maîtres à penser comme Léo Strauss et Alain Renaut qui sont à l'origine du néo-classicisme aux États-Unis et en France», mais il déclare ensuite sur un ton solennel et toujours à la première personne, qu'il s'en sépare: «J'exprime toute mon admiration pour leur engagement dans la tradition, mais je ne me reconnais pas dans l'élitisme de leurs convictions: contrairement à eux, je pense qu'il appartient à tous de délibérer sur les enjeux de l'avenir, pour dégager les chemins nouveaux qui devront être foulés[11].» Leroux précise ensuite sa pensée dans un autre sophisme: «Les orthodoxies anciennes et les convictions partagées dans une forte unanimité, en particulier concernant les choix de forme de vie, ont laissé la place à un authentique pluralisme[12].» Voici une pétition de principe doublée d'une confusion du fait et de la valeur: le pluralisme est un fait nouveau, donc il incarne une valeur supérieure à l'unanimité dans l'universel. Encore de l'historicisme!

11. Conférence prononcée lors du colloque de L'Association de pédagogie collégiale, à Trois-Rivières, le 3 juin 2009.

12. *Ibid.*

Les classiques, et c'est l'un des critères qu'on peut utiliser pour les hiérarchiser, sont avant tout une nourriture essentielle pour une humanité qui se sent et se sait exposée au malheur sans espoir de lui échapper par les drogues, les réformes de l'éducation, le tintamarre des médias, les professionnels du bonheur et le rêve d'un paradis sur terre associé au progrès. Ne serons-nous pas un peu plus humains à l'égard des condamnés à mort après avoir lu ces vers de François Villon :

> Frères humains, qui après nous vivez,
> N'ayez les cœurs contre nous endurcis,
> Car, si pitié de nous pauvres avez,
> Dieu en aura plus tôt de vous mercis.

On reconnaît aussi les classiques à l'altitude morale et intellectuelle de leur auteur. Pourquoi peut-on considérer l'*Iliade* d'Homère comme un chef-d'œuvre ? D'abord et avant tout parce que, tel le soleil qui brille indifféremment pour moi et pour mes ennemis, Homère ne prend jamais parti pour les Grecs, son peuple pourtant, ni pour les Troyens, mais nous les montre tour à tour frappés par un même malheur.

Paradoxe : en dédaignant les chefs-d'œuvre, les réformateurs se privent d'un excellent moyen de servir la cause du pluralisme qui leur est si chère. En mettant l'*Iliade* au programme, ils pourraient en effet dissuader leurs élèves de montrer trop d'attachement pour leur nation. Je m'empresse de préciser que je ne prends pas ici position en faveur du pluralisme. C'est l'excès dans l'attachement qui est mauvais, non l'attachement lui-même. À force de vouloir respecter les différences et de ne vouloir que cela on finit par tomber dans l'indifférence et l'indifférenciation, le pire des maux sociaux. Il se trouve que l'*Iliade* contient aussi un remède contre ce mal. Bien que l'auteur soit au-dessus de la mêlée, il nous présente des héros qui des deux côtés sont profondément attachés à leur patrie.

Villon et Homère éveillent chez leurs lecteurs le même sentiment de compassion. Ce sentiment est un pont vers le transcendant. Nous privons les jeunes de ce pont en ne leur donnant pas accès aux chefs-d'œuvre. Et nous les méprisons. C'est en effet traiter nos semblables comme des pourceaux que de refuser de leur offrir des perles.

La nature

Si l'on en juge par la popularité des sports de plein air et du jardinage, la nature est le pont vers l'autre rive qui est demeuré le plus solide dans la société québécoise. Malheureusement, les écoles ne semblent pas suivre le mouvement avec autant d'empressement que lorsqu'il s'agit de tourner le dos aux classiques. Ce ne sont toutefois pas les réformes récentes qui sont d'abord en cause mais des contraintes financières résultant du fait qu'on a voulu, au début de la décennie 1960, rendre les études secondaires et collégiales accessibles à tous en l'espace de quelques années.

Il y avait pourtant au Québec une solide tradition où l'on attachait la plus grande importance à la beauté du paysage entourant les écoles. Le jardin des Ursulines adjacent au couvent du même nom en est la plus belle preuve. L'abbé Charles-François Painchaud, fondateur du collège de Sainte-Anne-de-la-Pocatière, disait, dans le même esprit, qu'il faut apprendre par les yeux: «Ce que l'on apprend jeune et par les yeux, surtout à l'occasion d'objets qu'on revoit souvent, ne s'oublie jamais.» Ce brave prêtre des bois – ce qu'il était aux yeux de Chateaubriand qui était sa source d'inspiration –, voulait que les enfants de son école aient constamment sous les yeux le plus beau paysage du monde. Il a établi son collège en 1827, sur une hauteur d'où l'on domine toute la vallée du Saint-Laurent, déjà très large et majestueuse à cet endroit, au-dessus de Sainte-Anne-de-la-Pocatière. La cour de récréation comprend une montagne où le promeneur peut découvrir des orchidées sauvages entre deux points de vue sur le fleuve.

La vue que l'on a sur le fleuve depuis les balcons et les fenêtres, avec en contrebas les potagers et les prés, enchante le regard encore aujourd'hui. Mais voici un signe des temps: cette vue est à moitié bloquée par un immense cube de béton abritant des laboratoires du cégep voisin. L'espace ne manquant pas encore dans cette région du monde, pourquoi a-t-on défiguré ainsi l'un des plus beaux aménagements paysagers du Québec? Comment ne pas voir dans cette architecture sacrilège, dont l'équivalent existe sous mille autres formes, une soumission à l'impératif technique, allant jusqu'à la déconstruction?

Il faut noter au passage une étonnante parenté d'esprit entre Charles-François Painchaud et un autre de nos grands éducateurs, Marie-Victorin.

> Devant les spectacles affligeants d'aujourd'hui, devant le désarroi du monde, beaucoup d'esprits mûrs se demandent si nous n'avons pas fait fausse route en condamnant le cerveau de nos enfants et de nos jeunes gens à un régime exclusif de papier noirci, si la vraie culture et le véritable humanisme n'exigent pas une sorte de retour à la Terre, où les Antée que nous sommes, en reprenant contact avec la Nature qui est notre mère, retrouveraient la force de vivre, de lutter, de battre des ailes vers des idéals rajeunis[13].

C'est dans cet esprit que Marie-Victorin a fondé les Cercles de jeunes naturalistes grâce auxquels des dizaines de milliers de jeunes québécois ont pu se familiariser avec la nature, par des excursions hors les murs de leur institution, des institutions, soit dit en passant, dont un bon nombre, parmi les collèges classiques en particulier, avaient conservé une cour de récréation calquée sur celle de la Pocatière. Dans bien des cas, au Collège de Joliette par exemple, on a tronqué et défiguré ces cours de récréation. On y a construit des cubes de béton pour enfermer le sport et les jeunes qui le pratiquent dans des gymnases, des piscines et des arénas; le tout à un coût économique et écologique qu'une politique de développement durable cohérente nous obligera à revoir. Le moment est venu de protéger ce qu'il reste des cours de récréation, de donner un second souffle aux Cercles de jeunes naturalistes et de participer à des initiatives comme *Jeunes pousses*[14] au Québec et le *Center for Ecoliteracy* en Californie qui consistent à initier les enfants au jardinage et à l'apprêt de la nourriture la plus saine. Jeunes pousses est un organisme québécois dont la mission est de faire découvrir la bonne nourriture aux enfants en les initiant au jardinage. C'est aussi l'un des buts du Center for Ecoliteracy lequel est animé notamment par le physicien Fritjof Capra, le designer David W. Orr,

---

13. Marie-Victorin, *La Flore laurentienne*, 1964, Montréal, Presses de l'Université de Montréal, p. 11.
14. Voir: http://www.jeunespousses.ca.

et Zenobia Barlowe, ex-directrice du Elmwood Institute. Ce centre est l'un des hauts lieux de la réflexion et de l'action en vue, non pas du développement durable, formule devenue un fourre-tout, mais de la vie durable, *sustainable living.* Leurs principes directeurs s'apparentent à ceux de Marie-Victorin : « La nature est notre maître, la viabilité est une pratique communautaire, le monde réel est le meilleur milieu d'apprentissage, la vie durable est enracinée dans une connaissance profonde des lieux[15]. »

* * *

Le cours d'éthique et de culture religieuse

L'objet d'une action et le niveau de l'énergie qui l'alimente, choses distinctes. Il faut faire telle chose. Mais où puiser l'énergie? Une action vertueuse peut abaisser s'il n'y a pas d'énergie disponible au même niveau.

Simone Weil, *La pesanteur et la grâce*

Les écoles du Québec n'ont évidemment pas l'exclusivité des ruptures que nous venons d'évoquer. Elles ont plutôt suivi un mouvement national et international ; on peut toutefois leur reprocher de l'avoir suivi avec trop d'empressement et de servilité et même de l'avoir précédé pour aboutir à un cours d'éthique et de culture religieuse davantage destiné à servir des objectifs politiques qu'à satisfaire les besoins fondamentaux de l'âme humaine. Sa finalité n'est pas d'apporter une réponse à la question cruciale : l'homme a-t-il besoin d'une nourriture surnaturelle pour s'accomplir, – et dans l'affirmative, où peut-il la trouver ? – mais de donner aux jeunes québécois des compétences, comme le dialogue, « pour vivre ensemble dans le Québec d'aujourd'hui » ou « pour s'épanouir dans une société où se côtoient plusieurs valeurs et croyances ». Quel autre sort nos réformateurs pouvaient-ils réserver à l'enseignement de l'éthique et la religion après l'effondrement de tous les ponts vers le transcendant ? « Quand on ne peut plus regarder ensemble dans une même direction[16] », il ne reste plus qu'à se regarder l'un l'autre, ce qu'on appelle vivre ensemble.

---

15. Source : http://www.ecoliteracy.org/about/index.html.
16. Paraphrase de Saint-Exupéry : « Aimer ce n'est pas se regarder l'un l'autre, c'est regarder ensemble dans la même direction ».

La présentation qu'on donne du cours ECR sur le site du ministère de l'Éducation est de toute évidence destinée à rassurer les parents qui souhaitent que leurs enfants apprennent des choses sur les religions en dépit du fait que dans le cours le savoir est subordonné aux compétences. On y emploie les verbes connaître et réfléchir. On dit aux parents ce que leur enfant apprendra dans le cours d'éthique et le cours de culture religieuse:

Éthique

«Votre enfant apprend à:

- réfléchir avec rigueur sur des aspects de certaines réalités sociales et sur des sujets tels que la justice, le bonheur, les lois et les règlements;
- à se poser des questions telles que: Quelle valeur devrait guider les gens dans leurs relations en société? Qu'est-ce qui caractérise un comportement acceptable et un comportement inacceptable? Comment peut-on reconnaître ces comportements?

Ainsi, il lui est de plus en plus facile de rassembler ses idées et de les exprimer avec respect et conviction.

Culture religieuse

Votre enfant apprend progressivement à:

- connaître la place importante du catholicisme et du protestantisme dans l'héritage religieux du Québec;
- découvrir la contribution du judaïsme et des spiritualités des peuples autochtones à cet héritage religieux;
- connaître des éléments d'autres traditions religieuses apparues récemment dans la société québécoise[17].»

On peut comprendre que les parents approuvent majoritairement le cours, comme le prétend le MELS si c'est là l'essentiel de ce qu'ils en connaissent. Tout y est. Mais hélas! sans y être. Pour ce qui est de l'éthique, on ne peut rien dire d'autre en quelques lignes, mais on ne dit rien tant qu'on n'a pas précisé, par exemple, les fondements de l'idée de justice que l'on présentera. Le *vivre ensemble pluraliste* qui est le but visé et le contexte général indiquent que ce sont des

17. Voir le site du ministère de l'Éducation, du Loisir et du Sport, à la page: <http://www7.mels.gouv.qc.ca/DC/ECR>.

théories comme celle de John Rawls qui domineront la scène. Or, pour Rawls, la justice se réduit à un calcul entre des consommateurs joueurs qui acceptent de s'imposer des contraintes minimales pour permettre aux autres consommateurs joueurs de rester dans le jeu. On ne s'étonne pas de découvrir ensuite, à propos des valeurs, qu'il faut s'y intéresser «pour guider les gens dans leurs relations en société», plutôt que pour leur universalité et pour la cohérence de l'ensemble qu'elles forment. À propos du bien et du mal, on découvrira qu'ils se réduisent à l'acceptable et à l'inacceptable et ne concernent que les comportements. À quoi reconnaît-on un être humain accompli? Cette question n'est pas posée. De toute évidence, ce cours est un projet de circonstance élaboré à la hâte pour prévenir le retour d'accommodements qu'on a estimés déraisonnables. L'essentiel est que tu immoles toutes tes convictions sur l'autel de la paix sociale. Fais ce que tu voudras, pense ce que tu voudras, tu seras dans la bonne voie tant que tu pratiqueras le dialogue.

Un dialogue qui risque fort de n'être qu'un bavardage entre touristes en transit, compte tenu du fait que l'enfant est invité à faire le tour, en éthique, de l'ensemble des grandes questions philosophiques après avoir exploré dans le cours de culture religieuse toutes les religions et les spiritualités présentes hier et aujourd'hui sur le territoire québécois.

Une des choses auxquelles on reconnaît la grandeur d'une religion ou d'une philosophie, c'est la difficulté du parcours qu'il reste à faire pour en tirer toute la sève une fois qu'on l'a choisie. Qui peut prétendre pouvoir faire un tel parcours dans le cadre du cours ERC? S'il faut demeurer ouvert à toutes les sources, il faut d'abord s'engager en profondeur dans une voie pour accéder aux autres. L'engagement religieux ne doit pas être confondu avec le butinage.

Mais justement, nous objectera-t-on, le cours ECR n'est pas un lieu d'engagement religieux ni même un lieu où, comme dans la vraie vie, on choisit une religion en accordant toute son attention aux convictions des uns et des autres. C'est un musée à certains moments, une vitrine à d'autres. Le vrai dialogue suppose des connaissances nombreuses et profondes doublées d'un engagement qu'il est impossible de vivre dans un musée ou devant une vitrine.

Le théologien catalan Raimon Panikkar est l'un de ceux qui ont donné un exemple inspirant d'ouverture à diverses grandes religions. Il est né d'un père indien et hindou et d'une mère catalane et catholique. Après son premier voyage en Inde, alors qu'il était déjà prêtre et théologien catholique, il a été en droit de dire: «Je suis parti chrétien, me suis découvert hindou et reviens bouddhiste, sans avoir cessé d'être chrétien[18]». Il faut préciser qu'il s'agit d'un être exceptionnel dont le destin a aussi été exceptionnel et pourtant il fallait bien qu'il parte lui aussi de quelque part: il est parti du christianisme.

L'homme augmenté

Nous sommes passés disions-nous d'un humanisme centré sur Dieu à un humanisme centré sur l'homme. Le cours ECR accorde au religieux le minimum d'espace requis dans une école laïque qui ne veut pas se présenter comme doctrinaire et qui dessert une population qui, à une très grande majorité, déclare appartenir à une religion. Comme il s'inscrit en outre dans un contexte où tous les ponts vers le transcendant ont été coupés et où l'accent est mis sur les comportements et les compétences, il peut difficilement être une source d'inspiration.

Il n'y a donc rien d'étonnant à ce que cet homme qu'on n'invite plus à s'améliorer de l'intérieur, on en soit déjà réduit à l'augmenter de l'extérieur. Voici à ce sujet des réflexions qui à première vue paraîtront étrangères à mon propos. Elles s'imposent parce qu'elles font la lumière sur les inquiétantes origines du contrôle social dont l'éducation par les compétences est l'un des instruments. Je traduis par augmenter le verbe anglais *to enhance* qui, en ce moment est le mot qui résume le mieux la tendance dominante dans le monde actuel, plus précisément dans le contexte de l'humanisme centré sur l'homme. Augmenter l'homme de l'extérieur c'est aussi le contrôler. L'homme augmenté est celui qui fait usage des biotechnologies, des médicaments et des prothèses les plus variés pour accroître sa mémoire ou sa stature, réduire son angoisse ou éviter une naissance

18. Raimon Panikkar, *Biographie*, site Internet de l'auteur, en ligne: <http://raimon-panikkar.org/francese/biografia.html>.

indésirable, celle par exemple d'un enfant atteint de la trisomie 21. Toutes ces techniques paraissent innocentes à ceux dont le libre choix individuel est l'unique critère dans l'ordre moral. Elles s'inscrivent pourtant dans le cadre d'un projet de contrôle social qui remonte à la décennie 1930 et qui a pris forme à la Fondation Rockefeller, berceau de la biologie moléculaire et par suite des biotechnologies. Une longue citation du biologiste Steven Rose s'impose ici :

> Depuis ses origines chez Francis Bacon, la science moderne a toujours eu pour but le savoir et la puissance, avant tout le pouvoir de contrôler, de dominer la nature, y compris la nature humaine. Nulle part peut-être ce pacte faustien n'aura été aussi manifeste que dans le programme qui a orienté la biologie moléculaire depuis ses premières heures. Son nom même a été proposé dès les années 1930 par Warren Weaver, de la Fondation Rockefeller, dans le cadre d'une politique cohérente établie par l'un des principaux bailleurs de fonds dans le domaine. Cette politique, s'inspirant des thèses eugénistes, en vogue à ce moment, thèses visant à améliorer la race au moyen d'une reproduction sélective, avait pour fin non déguisée d'instituer une science de l'homme qui serait aussi une science du contrôle social. Voici comment l'un des premiers directeurs de la Fondation a présenté, sans ménagement, cette politique :
>
> « Elle a pour objet le problème général du comportement humain, avec comme but de l'expliquer pour le contrôler. La mission des sciences sociales, par exemple, sera la rationalisation du contrôle social ; la médecine et les sciences naturelles se consacreront à une étude coordonnée des sciences qui sous-tendent la compréhension et le contrôle du comportement personnel[19] ».
>
> À cette fin, la Fondation Rockefeller a concentré ses ressources sur les sciences de la psychobiologie et de l'hérédité, avec la ferme conviction, inspirée par Weaver, **qu'un tel contrôle deviendrait possible grâce à l'étude de ce qu'il y a de plus petit dans les choses**[20].

Si on a d'abord condamné ces techniques en raison de l'usage que l'État nazi a fait de techniques semblables, quoique moins puissantes, ce fut pour les légitimer immédiatement après la guerre, à la condition que leur usage repose sur le libre choix des individus. Tragique naïveté ! Ces techniques existent et continuent de progresser et elles n'en seront que plus dangereuses lorsque les crises sociales justifieront l'application du projet initial de contrôle social par un État central.

---

19. Mason, cité par Kay dans *The molecular vision of Life*, p. 46.
20. Steven Rose, *Lifelines, Biology Beyond Determinism*, Oxford University Press, New York, 1998, p. 273.

Steven Rose démontre que l'approche réductionniste n'a pas été mise en situation de monopole pour des raisons purement scientifiques. En discréditant la connaissance globale, elle brise, nous l'avons dit, un pont vers le transcendant, mais en même temps elle discrédite la vie intérieure, condition de la liberté.

Voici les craintes qu'inspiraient les tranquillisants à un observateur éclairé, il y a plus de trente ans. La tendance ne s'est sûrement pas inversée depuis ce jour.

Dans les *Grands médicaments,* ouvrage paru en France en 1975, le docteur Henri Pradal écrivait :

> Les tranquillisants apparaissent donc comme des agents extrêmement efficaces de stabilisation sociale, puisqu'ils déconnectent les personnes et tissent autour d'elles une gangue immatérielle mais parfaitement isolante et protectrice. Atténuant les pulsions critiques, assouplissant la rigidité des comportements, réduisant à presque rien les impatiences et les revendications, les tranquillisants font plus, pour le maintien de ce qui est, que toutes les forces d'information et de police. L'absence d'activités créatrices, la disparition des mobiles fondés sur la responsabilité, l'orientation de tous les efforts vers l'acquisition d'objets ou de « signes » de puissance, l'obsolescence accélérée des acquis de haute lutte obligeant au renouvellement incessant et à l'innovation à tout prix, tout cela contribue à la consommation exponentielle des pilules de « bonheur » et nous conduit tout droit à un « meilleur des mondes » à la Huxley[21].

Les mêmes médicaments, plus puissants et mieux ciblés, ne suscitent pratiquement plus de critiques de ce genre. Ce type de contrôle social, qui est aussi un contrôle des personnes, est entré dans les mœurs. Il est la règle en psychiatrie et la pédagogie prend la même direction si l'on en juge par la popularité du ritalin.

C'est dans une perspective analogue qu'il faut interpréter la chirurgie esthétique, si populaire auprès des adolescentes. Si elle trouve sa justification dans le libre choix des intéressés, elle n'en est pas moins l'une des formes du contrôle des corps, comme les hormones de croissance, les pilules de mémoire et le Viagra. Est-il seulement possible d'imaginer une limite à tout cela ? Non, car on ne découvre et ne respecte les limites que dans la mesure où l'on en voit l'omniprésence et la nécessité dans la nature. Or toutes ces

21. Henri Pradal, *Les grands médicaments,* Éditions du Seuil, Paris, 1975.

augmentations procèdent d'une même conception réductionniste de la nature. Quiconque prend en considération la complexité d'un organisme hésite avant de transférer des gènes d'une espèce à l'autre car il ne peut pas prévoir ce qui en résultera dans l'ensemble de l'organisme. Tout change dès lors qu'on a la prétention de pouvoir tout expliquer par les gènes. Les espèces, et les organismes qui en font partie, apparaissent alors comme des accidents de l'histoire des gènes, ils perdent leur nature. On s'autorise donc à les manipuler avec un minimum de précautions.

Le spectre de la machine

Il est bon de se remémorer de temps à autre la distinction entre le mécanique et le vivant. Le biologiste Brian Goodwin revient pour sa part à la distinction de Kant, qu'il enrichit de ses connaissances de la complexité des organismes :

> Une des distinctions les plus claires entre les machines et les organismes a été formulée il y a plus de deux cents ans par le philosophe allemand Emmanuel Kant. Il décrit la machine comme un ensemble fonctionnel dont les parties existent les unes pour les autres dans l'exécution d'une fonction particulière. L'horloge était la machine paradigmatique à cette époque. On assemble des rouages existant déjà et conçus pour jouer des rôles spécifiques dans l'horloge, une unité fonctionnelle dont l'action dynamique sert à marquer le passage du temps. Un organisme est un ensemble à la fois fonctionnel et structurel dont les parties existent par et pour l'autre dans l'expression d'une nature particulière. Cela signifie que les parties d'un organisme – feuilles, racines, fleurs, membres, yeux, cœur, cerveau – ne sont pas construites séparément pour être ensuite assemblées, comme dans le cas d'une machine, elles sont plutôt apparues suite à des interactions survenant à l'intérieur de l'organisme en développement[1].

Cette position rejoint celle de George Simmel :

> Ce qui distingue un corps non organique d'un corps vivant, c'est que le premier est délimité par le dehors, c'est de l'extérieur qu'il reçoit son impulsion. Par contre, le corps organique, quant à lui, trouve en lui-même sa propre forme, c'est du dedans qu'il puise son dynamisme, qu'il est appelé à croître et à se développer[2].

1. Brian C. Goodwin, *How the Leopard changed its Spots*, Princeton University Press, 2001, p. 199.
2. Georges Simmel, *La tragédie de la culture*, Paris, Rivages, 1988, p. 167.

La psychologie behavioriste qui n'a pas encore été reléguée aux oubliettes par la génétique, propose, comme on sait, d'autres méthodes efficaces de contrôle des sociétés et des personnes. Toutes ces interventions ont une chose en commun: elles agissent de l'extérieur sur l'être humain, c'est-à-dire par la force plutôt que par la persuasion. Parce que l'on peut choisir librement de recourir aux techniques d'augmentation, on peut penser qu'elles cessent ainsi d'être des forces agissant de l'extérieur. C'est une illusion. S'en remettre de plus en plus aux forces extérieures pour s'accomplir, c'est se persuader de plus en plus intimement qu'on est une machine.

Ne perdons pas de vue que ces réflexions sur les diverses formes d'atteinte à la liberté et à l'intégrité de l'être humain rejoignent le point de vue de Joëlle Quérin qui en est venue à la conclusion que le cours d'éthique et de culture religieuse est lui-même un instrument de contrôle social. On imagine sans peine la réaction étonnée des réformateurs à ce diagnostic. Leur but n'est-il pas la créativité, l'autonomie, la liberté sous la protection de la charte des droits? Je réponds qu'il y a une contradiction au cœur de ce cours, celle-là même qu'entrevoit Paul Inchauspé quand il s'indigne devant le détournement d'un simple programme d'étude, plutôt inspirant, vers une pédagogie socioconstructiviste totalitaire. D'un côté des idéaux, de l'autre un endoctrinement. Or les idéaux ne font pas le poids devant un conditionnement des comportements greffé sur le grand mouvement sous-jacent de contrôle des corps, des âmes et des sociétés.

De deux choses l'une: ou bien nous nous réjouissons de ce que l'histoire aille dans la direction de l'homme augmenté, auquel cas nous renonçons à toutes les formes de perfection procédant de l'intérieur en même temps qu'à ce sens de la limite, omniprésent dans la nature, sans lequel nous ne pourrons qu'aggraver les torts que nous avons déjà faits à la Terre et par là, à nous-mêmes. Ou bien nous faisons le choix de croître intérieurement, de devenir meilleurs tout en nous imposant des limites dans nos interventions sur la nature, auquel cas nous avons absolument besoin d'une vision du monde comportant nécessairement une dimension religieuse.